VOYAGE AU CENTRE
DE LA TERRE-MÈRE

Docteur Michel Sanchez-Cardenas

VOYAGE AU CENTRE DE LA TERRE-MÈRE

Jules Verne chez le psychanalyste

Albin Michel

Au petit Axel qui deviendra grand et très curieux

Du sens de ce livre

Le *Voyage au centre de la Terre* de Jules Verne constitue pour le psychanalyste un champ d'investigation privilégié. S'y entrelacent en effet, comme autant d'illustrations de la force de l'inconscient, les thématiques suivantes :

– la libido et la curiosité sexuelle comme motivations des héros ;

– le complexe d'Œdipe comme structure inconsciente qui régule leurs échanges et leurs ambitions ;

– un riche mélange de couples d'opposés symétriques (ex. : roches distinctes *vs* roches en fusion ; morts *vs* vivants ; mesure *vs* infini...). L'étude de leur répartition dans le roman permet de montrer comment ils contribuent à instaurer une confusion psychologique, qui finira elle-même par se résoudre en une remise en ordre des idées ;

– une fusion du sujet et de son objet perdu (c'est-à-dire du héros orphelin et de sa mère morte et symbolisée par la terre) qui en fait un paradigme du roman initiatique et d'un processus que l'on peut dire antidépressif.

Deux grands et vieux amis nantais, Achille-Édouard, le psychanalyste, et Philémon, l'historien-géographe, ont dialogué quelques mois durant à propos du *Voyage* et de sa symbolique. Leurs épouses, Marie et Gladys, ont été de la partie. J'ai moi-même eu la chance d'être tenu informé de leurs échanges par Achille-Édouard, dont je suis proche, et de pouvoir, avec son autorisation, les retranscrire.

Bien entendu, l'analyse du *Voyage* qui est la leur ne prétend pas être exhaustive. Si elle parcourt des axes inconscients majeurs, elle n'en aborde pas certains autres : la place des noms propres utilisés par Verne ; la dynamique inconsciente de la curiosité intellectuelle ; comment la perception, la représentation et l'hallucination sont réparties dans le roman, etc. Ne jetons cependant pas la pierre à Achille-Édouard et à Philémon : on ne peut jamais épuiser un sujet, surtout s'il est aussi passionnant et riche que celui-ci.

Une précision : à la fin de chaque chapitre se trouve son résumé. Le lecteur pressé peut s'y reporter avant même de le parcourir en entier.

M. S.-C., Nantes, 24 mars 2005.

1

D'OÙ NAÎT NOTRE RÉFLEXION

« Puis il y a cette circonstance que je suis né à Nantes, où mon enfance s'est tout entière écoulée [...] dans le mouvement maritime d'une grande ville de commerce, point de départ et d'arrivée de nombreux voyages au long cours. »

Jules Verne, « Souvenirs d'enfance et de jeunesse » (1891), p. 7.

À Nantes[1], depuis la butte Sainte-Anne, on peut contempler une des plus belles vues de la ville. Le musée Jules Verne y est situé et, si l'on se tient à côté de lui en regardant la Loire, l'ample arc de cercle que fait le fleuve à ce niveau guide le regard.

Sur la gauche, le quai de la Fosse étale sa courbe douce et expose ses maisons de guingois bâties en une partie de la ville gagnée progressivement sur le fleuve. Plus loin, la Petite Hollande, une grande place plate, affronte l'ouest frontalement, laissant deviner qu'elle fut autrefois un quai où, justement, les Hollandais, dont la communauté était installée à Nantes depuis le XVIe siècle, négociaient du vin. En face, de l'autre côté de la Loire, l'île Beaulieu montre son enchevêtrement de rails, de hangars maritimes et de voies de mise à l'eau des navires qui, autrefois, sortaient de chantiers navals dont ne subsistent aujourd'hui que des bâtiments. Un peu plus à l'est, et sur l'autre rive, c'est le port de Trentemoult

1. À partir de maintenant, c'est Achille-Édouard qui s'exprime.

où quelques palmiers et quelques belles façades rappellent le passé des armateurs des XVIIIe et XIXe siècles.

De là on voit aussi des routes, des voies ferrées, des bateaux à quai, et souvent même un avion qui survole la cité pour se diriger vers l'aéroport, plus vers le sud-ouest. Ainsi une petite Métropolis s'offre-t-elle là au regard, à la fois agitée et encore d'un calme provincial. Le tout baigne souvent dans l'ambiance voilée d'une brume ou d'une bruine qui rappellent que l'océan Atlantique n'est pas si loin.

Nantes est-elle une ville vernienne ? Que dirait le vieux Jules en la voyant aujourd'hui, lui qui y naquit et qui y passa sa jeunesse ? L'aimerait-il ? Ou bien oserait-il encore faire la moue devant elle comme il le fit à son époque, ingrat qu'il put être parfois à l'égard d'une ville qui fut pourtant aussi, de sa propre confession, sa muse ?

Quoi qu'il en soit, j'aime l'imaginer lorsque – dit-on ! –, enfant de onze ans, il s'embarqua sur un navire en partance de Nantes comme passager clandestin. On connaît la suite. M. Verne père, avoué de son état, serait allé récupérer le petit mousse un peu plus loin en aval, à Paimbœuf, sur la rive gauche de la Loire. Mais l'âme du garçon, elle, en tout cas, avait définitivement pris son envol et elle ne cessa dès lors plus de voyager et d'élargir ses horizons.

Mais peut-être est-ce Saint-Nazaire qui est vraiment vernienne ? On y trouve dans le port quelques cales de sous-marins à visiter, quelques effluves de *Nautilus* en somme. C'est là aussi qu'est né le *Queen Mary II*, il y a peu. Le plus grand navire jamais construit au monde ! 345 mètres de long ! Une réalité qui le dispute à la fiction vernienne !

On ne m'ôtera pas de l'idée que Nantes, étant l'épicentre de nombreux voyages par terre, mer, air ou rail, pourrait bien être l'ombilic des *Voyages extraordinaires* de Jules Verne.

Le dos de granit de la butte Sainte-Anne : nous nous y retrouvons bien souvent le dimanche matin avec l'ami Philémon, pour un long jogging ou pour une balade à vélo. Je suis psychanalyste, il est historien et géographe. Nos deux professions ont quelque chose en commun. Moi, j'essaie de comprendre ce qui a façonné les individus depuis leur intérieur, leur inconscient intime, et lui ce qui les a influencés de l'extérieur, c'est-à-dire le social, l'historique et le géopolitique. La mémoire nous réunit donc au niveau professionnel. Car au niveau personnel, plus immédiatement, il y a une vieille amitié, née il y a déjà bien longtemps sur les bancs du lycée... Jules Verne, bien entendu !

Ainsi, un de ces dimanches matin où nous nous trouvions sur la butte Sainte-Anne, nous avons eu la conversation suivante :

– Est-ce que tu comprends ça, Philémon, que nous terminions toujours nos séances de sport à Sainte-Anne ?

– Eh bien, c'est parce que nous pouvons alors y prendre un café accompagné des excellents croissants de la boulangerie du coin, n'est-ce pas ?

– Je me le demande. Parce que, dans ce cas, nous pourrions tout aussi bien dire que c'est parce qu'il s'y trouve souvent le dimanche matin un marchand d'huîtres ou de sardines, précieux cadeaux de la mer que nous pouvons ramener à nos petites familles en fin de matinée.

– Mmouaaaais... tu as raison. Et ne serait-ce donc pas alors, en fait, parce que nous sommes ici au cœur de la saga vernienne ? Et donc de tout ce qui se meut ?

– Tu dis ça à cause du musée Jules Verne qui est en face de nous, à côté de la statue de sainte Anne bénissant les voyageurs de la mer ?

– Oui, c'est évident, il y a de ça. Mais je ne sais pas pourquoi, j'ai surtout aussi l'impression qu'il y a comme un magnétisme du voyage qui fait que, tout naturellement, nos envies de bouger naissent et meurent ici.

– Tu sais, à propos de voyage, je viens de relire pour la énième fois le *Voyage au centre de la Terre*. Eh bien, c'est incroyablement psychanalytique comme livre.

– Psychanalytique ! Qu'est-ce que tu racontes ?! (Philémon est à la fois passionné par la psychanalyse et toujours un peu dubitatif à son égard. Son truc préféré, c'est de me poser des questions un peu naïves et provocatrices à son propos.) Allons ! C'est un voyage géographique écrit à une époque où l'industrie et la science poursuivent leur essor et où l'homme pressent qu'il va marquer de nouveaux pas, décisifs, dans la conquête et la maîtrise des lieux et des éléments. (Philémon a gardé quelque chose d'un peu raide de ses années de formation marxiste : l'homme au regard de son conditionnement par un capitalisme né lui-même du développement des machines et des modes de production, etc.)

– Je crois au contraire que le *Voyage au centre de la Terre* est par excellence « l'inconscient révélé par l'exemple ». (Moue de Philémon...) Ne tords pas le nez ainsi et arrête de te moquer de moi ! (Re-moue...) Chiche que je te le démontre !

– Je veux bien !

C'était un « mois en r ». Donc, ce matin-là, nous achetâmes des huîtres au marchand. Cette conversation se tenait au retour d'une balade à vélo qui nous avait menés jusqu'au lac de Grand-Lieu.

Dès que je fus revenu chez moi, je me mis au travail pour établir comment de grosses ficelles inconscientes nouent les points significatifs dudit *Voyage*. Notre historien n'allait bientôt avoir qu'à bien se tenir et à bien ouvrir ses oreilles... car j'allais lui proposer une série d'exposés devant lesquels il n'aurait plus qu'à s'incliner et à me baiser les babouches ! Ah mais !

Et d'ailleurs, j'allais commencer par faire un résumé du *Voyage* que j'enverrais à Philémon et à sa femme, et que je donnerais aussi à Marie, la mienne.

Voyage au centre de la Terre
Résumé

Au début du livre, les personnages principaux sont présentés. Axel, un jeune homme, en est le héros central, et c'est lui qui nous narrera leurs aventures. Orphelin, il est le neveu du professeur Lidenbrock, un savant minéralogiste célèbre et farfelu, chez qui il vit à Hambourg en qualité de neveu et d'élève. Dans la maison-née on compte aussi Marthe, la vieille bonne, et Graüben, la pupille du professeur (Axel et elle sont amoureux l'un de l'autre).
Le professeur revient de chez un bouquiniste. Il y a trouvé un livre islandais ancien. Au moment où il le montre à son neveu, un manuscrit en tombe, qui se trouve être un cryptogramme rédigé en caractères runiques (qui servaient à écrire l'islandais ancien). Seule la signature de ce manuscrit est dans un premier temps déchiffrable : elle est d'Arne Saknussemm, un alchimiste du XVIe siècle. Le professeur veut découvrir le sens de ce texte. Il n'y arrive pas et décide de ne plus manger jusqu'à ce que ce soit chose faite. Au passage, il prive ses proches de nourriture puisqu'il les enferme à clef dans la maison, les y laissant jeûner sans provisions alors que lui-même part déambuler dans Hambourg.
C'est par hasard, en se ventilant machinalement avec le manuscrit, qu'Axel découvre que celui-ci est rédigé en sens inversé. De sorte que, tout à coup, le texte lui devient compréhensible. Qu'indique-t-il ? Qu'il faut, pour aller au centre de la Terre (!), tout comme Arne Saknussemm prétend l'avoir fait lui-même, se rendre au fond du cratère du Sneffels, un glacier-volcan éteint (ou Yokul) d'Islande. Lorsque le Scartaris, un des pics du Sneffels, vient, par son ombre au soleil de midi du 28 juin, en désigner une certaine cheminée, c'est dans cette dernière qu'il faut s'enfoncer pour aller vers le centre du globe.

Après quelques hésitations, Axel finit par annoncer sa découverte au professeur. Pour celui-ci, l'ombre d'un doute n'est pas permise : il faut marcher dans les traces de Saknussemm ! Chez Axel, par contre, la peur prédomine et une telle aventure lui paraît une folie. Mais l'on ne résiste pas à la volonté de l'ardent professeur et l'expédition est promptement organisée. Graüben se promet à Axel pour le jour où, aguerri, il lui reviendra de ce périple, devenu un homme trempé ; elle sera alors sa femme.
Le voyage commence et porte nos héros vers Copenhague, puis un bateau les mène en Islande (notamment en longeant la côte d'Elseneur). Ils arrivent à Reykjavik où ils sont les hôtes du professeur Fridriksson. Hans, un flegmatique et athlétique chasseur d'eiders, leur est présenté : il sera leur guide.
En Islande, tout est triste : des pauvres populations à la terre, ingrate, qui ne porte que de maigres plantes délavées. Ils sont reçus chez un paysan qui a dix-neuf enfants, puis ils croisent un lépreux qui, tel un spectre, hante la campagne. Ils traversent différents paysages. Régulièrement, Axel fait part de ses craintes : et si le Sneffels, monstre qui dort depuis sa dernière éruption en 1229 venait à se réveiller ? Ils font également étape chez un recteur et sa femme, une matrone géante, des personnages antipathiques au possible.
Les voici sur les pentes du Sneffels. Puis dans son cratère. Au fond de celui-ci, sur un rocher, se lit la signature d'Arne Saknussemm. Trois cheminées s'ouvrent devant eux. Celle que l'ombre du Scartaris vient toucher à la date et à l'heure indiquées par le cryptogramme est celle du milieu : c'est donc celle qu'il faudra emprunter.
La descente vers les profondeurs débute. Mais l'on arrive bientôt au carrefour de deux routes, également possibles à emprunter. On prend au hasard celle qui va vers l'est.

Après une longue marche au travers, entre autres, de galeries carbonifères, elle se révèle être une impasse. Or l'eau vient à manquer alors qu'il faut revenir en arrière. Axel, déshydraté, touche là aux portes de la mort pour la première fois, et ce malgré quelques gouttes que son oncle avait gardées spécialement en réserve pour lui dans sa gourde. On retrouve le carrefour, où l'on emprunte l'autre galerie. Hans y détecte, au bruit, une source qui court derrière une paroi. De son pic, il perce cette dernière et l'eau, salvatrice, en jaillit. Ce sera là le « Hans Bach », le « ruisseau Hans » ainsi nommé par l'oncle et dont le trajet descendant guidera désormais les explorateurs.
Mais, justement, Axel vient à s'écarter de ce fil d'Ariane liquide et se retrouve perdu dans un cul-de-sac. La mort l'emporterait encore dans ce tombeau de pierre si un bizarre phénomène acoustique ne venait alors à sa rescousse : le bruit de sa voix, conduit le long de la paroi, le remet en communication avec l'oncle et Hans et un trajet peut être déterminé qui lui permettra de les rejoindre. Les voici à nouveau réunis et, pour le coup, auprès de la « mer Lidenbrock », une mer intérieure sise dans les profondeurs de la terre et qu'ils viennent d'y découvrir, nichée dans une gigantesque excavation, une énorme caverne.
Axel y recouvre ses esprits, s'y baigne, et se promène avec son oncle sur ses berges où ils découvrent une forêt de champignons géants. Pendant ce temps, Hans construit un radeau avec du bois fossile, du « surtarbrandur ». On s'embarque.
Après une navigation pendant laquelle Axel remonte en un songe hallucinatoire toute l'histoire de la création, ils assistent au combat, qui menace fort de les faire naufrager, de deux monstres préhistoriques sortis des profondeurs de la « mer Lidenbrock », l'ichtyosaurus et le plesiosaurus, le second finissant par mourir égorgé par les crocs du

premier. Les explorateurs accostent sur un îlot doté d'un puissant geyser, que l'oncle baptise l'« îlot Axel ». Puis la navigation reprend. Un orage survient et une boule de feu tournoie autour du navire, menaçant d'attirer Axel dans la mer. Enfin l'embarcation fait naufrage sur d'autres côtes. Nos héros sont fort étonnés : leur boussole leur montre le nord là où ils attendaient le midi ! Seraient-ils revenus sur leurs pas du fait de la tempête ?
Ils en profitent pour explorer cette zone. Les découvertes surprenantes s'y succèdent : celles d'une plaine d'ossements préhistoriques, d'un homme quaternaire momifié, puis d'un berger, géant (et vivant !), guidant un troupeau de mastodontes, ainsi que d'une forêt luxuriante qui mêle de façon anarchique les différentes époques préhistoriques de la végétation.
Enfin, sur ces mêmes rives, ils trouvent une dague sur laquelle figurent, à demi rongées par la rouille et la mer, les initiales A.S. : Arne Saknussemm montre ainsi encore la voie à suivre, car il s'agit de son poignard et de sa signature. Axel est alors saisi d'une bouffée d'enthousiasme et voici que, tout à coup, celui qui n'avançait qu'à contrecœur devient le leader du groupe. Une galerie s'ouvre devant eux ; il faut la suivre, A.S. le dit, et Axel aussi. On s'élance donc. Mais bientôt une roche vient boucher la voie, venue d'un éboulis postérieur au passage d'A.S. Qu'à cela ne tienne : on la fera sauter à la poudre ! décide Axel. Et c'est lui qui met le feu à la mèche.
On remonte sur le radeau et l'explosion se produit, ouvrant la voie. L'embarcation est portée au sommet d'une vague énorme, puis sur une cataracte qui tombe à la verticale. Quand la chute s'interrompt, une remontée s'initie. Peu à peu l'eau qui porte nos aventuriers et leur esquif est remplacée par de la lave en fusion. Enfin, le volcan dans lequel ils se trouvent les expulse. Il s'agit du Stromboli.

Ils retournent alors à Hambourg, où Hans les quitte pour retourner chez lui, en Islande. Axel et Graüben convolent en justes noces, et ce après qu'Axel a percé à jour le mystère de la boussole et de ses indications fantaisistes : elle avait été aimantée, et donc désorientée, par la boule de feu à l'occasion de l'orage souterrain. Désormais le professeur Lidenbrock jouit d'une renommée internationale encore accrue, au point que, en Amérique, M. Barnum lui propose de l'exhiber dans son cirque !

2

OÙ L'ON COMPREND QUE C'EST DE LIBIDO QU'IL VA S'AGIR ICI – ET QUE CELLE-CI SERA PORTÉE À L'INCANDESCENCE !

« Vois cette île composée de volcans, dit le professeur, et remarque qu'ils portent tous le nom de *Yokul.* »

Voyage au centre de la Terre, p. 40.

Philémon, son épouse Gladys, Marie, la mienne, et moi-même nous réunissons régulièrement. Tantôt chez les uns et tantôt chez les autres. Tous les prétextes sont bons, des fêtes prévues à l'avance aux repas improvisés.

Ainsi, rendez-vous avait été pris chez Gladys et Philémon pour un samedi soir afin que je commence à y exposer mes théories sur le *Voyage au centre de la Terre* vu sous un angle psychanalytique. Au menu : un repas vins-fromages-salades, et des interprétations.

Marqueur en main, debout devant le paperboard et le rétroprojecteur de Philémon, transportés pour l'occasion dans son salon, je commençai ainsi, d'un ton faussement pompeux :

– Mesdames, messieurs, je suis très sensible au grand honneur que vous me faites en m'invitant à donner ici un premier exposé concernant le fameux *Voyage au centre de la Terre* de notre compatriote Jules Verne ainsi que ses soubassements inconscients. Il ne me sera pas très difficile, à vrai dire, je pense, de vous convaincre que ce roman a trouvé son succès, succès qui n'a pas failli depuis sa publication en 1864, et ce ni dans notre pays ni de par le monde entier grâce à ses multiples traductions, que ce roman a trouvé son succès, disais-je, dans le fait même qu'il use des rouages les plus établis et les plus rodés de l'inconscient.

– Hum, hum, fit Philémon, quelque peu ironique, tout en avalant avec une visible délectation un triangle de manchego espagnol accompagné d'un mini-cornichon.

– Je vois que monsieur est incrédule. Je tenterai donc du mieux qu'il me sera possible de vous démontrer la justesse de mes hypothèses. À cette fin je vous invite, monsieur, ainsi que tous ceux qui sont avec nous ce soir, à m'interrompre et à m'interroger plus avant dès que ce que j'avancerai vous paraîtra obscur. Je tenterai alors, si nécessaire, de m'exprimer encore plus clairement. Si vous le permettez, je vais vous montrer tout d'abord comment ce roman, passez-moi l'expression, « carbure à la libido ». Transparent, chère collaboratrice.

Grâce à Marie, le premier transparent apparut sur le rétroprojecteur. Il mentionnait simplement :

Libido ! Libido !

– Ne vous étonnez pas de cette annonce ! Quel est le vocabulaire que nous trouvons, en effet, dans le roman ? Eh bien, celui de la sensualité !

– De la sensualité ? Tiens donc..., glissa Philémon, visiblement ironique et heureux de jouer les contestataires.

– Oui. Je prétends en effet que ce roman décrit avant tout une exploration anatomique du corps féminin en général et, plus particulièrement, de celui de la mère. Donc, deux temps pour le début de mon exposé : ce qui concerne le corps féminin tout d'abord, et puis ce qui touche le corps maternel… Transparent…

Le corps féminin

– Je ne vais pas y aller par quatre chemins. Nos amis Axel et son oncle quittent Hambourg et, vous le savez, gagnent le Danemark, puis l'Islande. Ils arrivent ainsi dans le cratère du Sneffels. Or, lorsque nos héros arrivent au fond du cratère, que voient-ils ? Eh bien, trois cheminées :

> **Au fond du cratère s'ouvraient trois cheminées par lesquelles, au temps des éruptions du Sneffels, le foyer central chassait ses laves et ses vapeurs. Chacune de ces cheminées avait environ cent pieds de diamètre. Elles étaient là béantes sous nos pas. Je n'eus pas le courage d'y plonger mes regards (p. 118[1]).**

Connaissez-vous un endroit où s'ouvrent « trois cheminées » ? Ne pensez-vous pas à une certaine partie du corps

1. Nous nous référerons systématiquement à l'édition du Livre de Poche (avec illustrations de l'édition originale Hetzel).

féminin ? Ou plutôt, qui, parmi vous, aura la fausse pudeur de prétendre qu'il ne s'agit pas là de l'intimité de la femme qui, « béante », de la sorte s'offre au regard de nos explorateurs (et que le jeune homme n'ose même pas contempler) ? Je vous rappelle qu'Axel est, avant tout, en tant que jeune homme, celui qui cherche femme, qui cherche La femme. C'est bien là un des sens principaux d'une aventure qui lui permettra de connaître ce qu'est le corps féminin, de rêver à Graüben et à ses mystères.

– Fort bien, j'avoue que ce que tu nous dis est intéressant. Lorsque tu lisais le passage des trois cheminées, et comme tu nous avais avertis qu'il s'agissait du corps féminin, bien entendu, j'ai pensé à la partie en question. Mais, reprit Philémon, est-ce que ces lignes de Verne ne peuvent pas en fait relever du pur hasard ? Il faut bien qu'une cheminée volcanique ait un certain nombre d'orifices. Ici, il aura pris à Jules Verne la fantaisie d'en décrire trois, comme il aurait pu aussi bien en citer un, ou quatre, ou six.

– Vous avez raison, monsieur Philémon, d'évoquer une telle hypothèse, celle du facteur hasard. Mais si je vous cite d'autres éléments convergents, ne serez-vous pas obligé de convenir que, à défaut, bien entendu, d'une certitude absolue – qui n'est pas de ce monde –, la convergence, elle, pourra nous indiquer que nous sommes bien ici en terre de libido ?

– Alors, certes, je vous l'accorderai, professeur. J'attends donc vos « arguments convergents ».

– Les voici, mis en rang d'oignons. Tout d'abord on découvre dans l'ouvrage qu'Axel est un libidineux. Lui et son oncle se crèvent les yeux sur l'antique livre lorsque, de celui-ci, glisse un « parchemin crasseux » (p. 13), un parchemin dont le texte est rédigé en runes. Nos deux curieux le retranscrivent tout d'abord en caractères latins, mais ils ne peuvent pour autant comprendre à quel sens, manifestement crypté, il correspond. Une première lecture de ce latin donne un galimatias incompréhensible, un galimatias duquel, tout de même, un mot émerge, celui d'« oseibo » (p. 18). C'est là un mot qui est incompréhensible en français, la langue du roman, lorsqu'on l'orthographie ainsi, mais par contre un mot qui, phonétiquement, sonne indéniablement à nos oreilles comme un « Oh, c'est beau ! ». Et qu'est-ce qui, ici, est beau, ou qui, du moins, concerne avant tout le plaisir des yeux ? Je vous le répète, il faut interpréter ces propos de façon tendancieuse pour trouver leur sens inconscient ; il faut « lever le refoulement », comme on dit. Et si l'on veut bien faire de la sorte, on verra que « Oh, c'est beau ! » concerne la promesse de ces merveilles à découvrir dans le corps de la femme, dans sa cheminée du milieu... dans son ventre, dans son vagin, dans son utérus ! Ne nous voilons pas la face ! Ne détournons pas le regard comme le chaste Axel ! L'enjeu du *Voyage* ? Mais c'est de voir et de connaître la femme, que diable ! Ce même « oseibo » sera d'ailleurs ensuite encore privilégié dans le texte, ce qui lui donne un poids particulier. On verra en effet un peu plus loin le professeur s'en saisir à nouveau, parmi tant d'autres mots, pour le commenter (p. 21).

– Mais, tout de même, vous, les analystes, vous pensez tout le temps au sexuel ! susurra Gladys de son accent britannique (elle est d'origine écossaise).

– Tu n'as pas tort. Le sexuel, effectivement, nous semble particulièrement important, à nous, analystes. Il guide ici ma compréhension de cet « oseibo » qui insiste. La fréquentation prolongée des inconscients nous montre que le sexuel n'y tient pas moins de place que, par exemple... dans les frasques des dieux grecs… ou bien que dans la presse tabloïd… qui n'est pas peu vendue, tu en conviendras.

– *I do, I do…*

– Ainsi, laisse-moi continuer et peut-être arriverai-je à te convaincre un peu plus. J'y suis peut-être allé un peu trop « bille en tête » pour affirmer la place du sexuel dans le *Voyage*; maintenant il me faut étayer cette affirmation que j'ai posée en premier. Pour le faire, je vais vous montrer, entre autres, comment cet « oseibo » s'inscrit dans une véritable série associative.

– Chéri, une « série associative »… ? demanda Marie. (Ma femme est elle-même professeur d'économie et, quoique accoutumée à mes recherches psychanalytiques, elle ne manque pas de me demander de temps en temps de lui rafraîchir la mémoire à propos de mes outils conceptuels.)

– Tu le sais bien. C'est ce qui nous sert plus que tout à comprendre le fil conducteur inconscient de nos patients. Ceux-ci parlent d'un sujet, puis d'un autre, et ils passent sans cesse, apparemment, du coq à l'âne. Or, la succession de leurs idées, à première vue anarchique, se révèle en fait porteuse d'un sens caché qui les relie, quoique de façon travestie pour pouvoir passer la frontière du refoulement. C'est pour cela que, dans la psychanalyse, on invite le patient à dire tout ce qui lui vient à l'esprit. S'il s'y prête, il nous livre alors un ensemble de pensées, des logiques et des farfelues, certaines concernant l'actualité et d'autres le passé, ou des rêves; on parle à leur propos d'« associations libres ». Or, quelle est la suite associative que nous observons au début du livre après le premier « oseibo » ? La voici :

P. 21 : nouvelle mention donc du « oseibo ».

P. 21 encore : le regard d'Axel se porte sur le portrait de Graüben, qu'il trouve charmant. Il nous avoue alors son amour pour elle. Serait-ce donc elle, l'objet caché de cet « oseibo » ? Elle dont la mention vient tout juste onze lignes après celle de ce vocable ? C'est probable. Car, pour l'inconscient, juxtaposition de thèmes vaut lien entre eux.

P. 22 : Axel nous raconte alors qu'il aime ranger et épousseter avec elle les pierres de la collection d'Otto Lidenbrock... Une occupation purement innocente ? Certes, il pourrait s'agir d'une sublimation de la curiosité sexuelle en une activité intellectuelle de bon aloi : innocents « comme frère et sœur », ne les voici-t-il pas confondus dans la réalisation de cette honnête activité « scientifique » ? Mais il ne faut pas en rester à ce seul sens sublimé. En effet, si nous lisons le texte un peu plus avant encore, nous nous entendons dire par Verne, et par son inconscient qui, de la sorte, se déroule sous nos yeux, qu'Axel aime aussi, après avoir pris soin des pierres et devisé scientifiquement, « l'instant de récréation venu », aller avec Graüben par les « allées touffues » (p. 22). Dois-je vous faire un dessin à propos de ces « allées touffues » ? Surtout si j'ajoute que nos deux jeunes y mirent depuis elles « les cygnes qui nagent parmi les grands nénuphars blancs » ?

– Eh bien ? me demanda Gladys. Je ne vois rien de sexuel dans tout ceci. C'est innocent, naïf et romantique, non ?

– Bon, je suis désolé de te dessiller mais, effectivement, si c'est bien fleur bleue, et si tendre romantisme il y a, il faut aussi, excuse-moi de te le dire, que tu te résolves à bien plus « penser porno » pour saisir le langage de l'inconscient ; alors tu verras d'autres choses t'apparaître. Comme par exemple pour le cygne : de par l'érection de son grand cou, il n'est autre que le pénis érigé d'un Axel qui rêve d'écarter des nénuphars blancs... qui eux-mêmes ne symbolisent pas autre chose que la virginité – liée à son archétype de blancheur – de Graüben, virginité sise au sein de son « allée touffue ». É-lé-men-tai-re !

– Oh !

– Mais oui, Gladys, mais oui. Ne rosis pas. Et laisse-moi poursuivre encore un instant sur cette même série associative :

P. 24 : voici une phrase qu'Axel écrit devant son oncle. Ce dernier, sous prétexte d'essayer de décrypter le manuscrit, lui a dit d'écrire quelque chose, n'importe quoi. Et quelle est la phrase qui vient à Axel lors de cet exercice d'écriture automatique ? Celle-ci : « Je t'aime bien, ma petite Graüben ! » *Love, amor and libido !*

P. 28 : il n'y a donc aucune surprise à retrouver un peu plus loin notre cher Axel, seul cette fois-ci, en train de se prélasser en fumant sa pipe « à long tuyau courbe » dans le fauteuil du professeur.

– Je te vois venir ! intervint Philémon, l'œil brillant. La « pipe » et le « long tuyau ». Oh, oh ! Fichu Achille-Édouard !

– Tu me vois bien venir, en effet, car c'est bien entendu à tout le « plaisir solitaire » qu'Axel est en train de prendre avec son « long tuyau courbe » que je pense. Et où le prend-il ? Précisément dans un « grand fauteuil d'Utrecht » appartenant en propre au professeur (fauteuil avec lequel nous avons fait connaissance quelques pages auparavant (p. 13) et dans lequel le professeur s'était alors assis pour, justement, découvrir à son aise, lové en son creux familier, le fameux livre islandais qu'il venait d'acheter). Et que montre sa pipe à Axel ? Ceci :

> **Je me laissai aller alors dans le grand fauteuil d'Utrecht, les bras ballants et la tête renversée. J'allumai ma pipe à long tuyau courbe, dont le fourneau sculpté représentait une naïade nonchalamment étendue ; puis je m'amusai à**

> suivre les progrès de la carbonisation, qui de ma naïade faisait peu à peu une négresse accomplie. De temps en temps, j'écoutais si quelque pas retentissait dans l'escalier. Mais non. Où pouvait être mon oncle en ce moment ? (p. 28).

Me faudra-t-il encore me démener pendant longtemps pour vous convaincre que le propos du livre est très, très, très sexuel ?

– Et quelle est ton idée sur ce passage ? me demanda Gladys en faisant tourner un peu de vin au fond de son verre.

– C'est clair : dans ce passage, de Graüben, la vertueuse étiqueteuse de minéraux dont il a parlé un peu auparavant, Axel veut faire sa naïade, sa négresse capiteuse ! Voilà son but ! Puis il se sent coupable de tant d'audace et, de ce fait, il évoque un instant que le professeur pourrait être là, tapi dans l'ombre de la maison, rentrant justement à ce moment, tel le Surmoi qui pourrait le méjuger pour ses pensées érotiques, masturbatoires et interdites. Il écoute donc et réalise que son censeur n'est pas là (ainsi les adolescents vivent-ils leur sexualité, entre pulsion et culpabilité). Mais je continue :

P. 30 : on assiste à la découverte par Axel du sens caché du manuscrit. Qu'y lit-on ?

> Un homme avait eu assez d'audace pour pénétrer !...

Axel pense alors immédiatement que le professeur, de même :

> Il voudrait en goûter aussi... !

Autrement dit, encore une fois, le désir, le désir, vous dis-je ! est le ressort qui va guider nos explorateurs, ce désir qui pourrait donner envie au professeur – c'est donc presque écrit aussi directement – de goûter à l'audace de la pénétration ! Ayant découvert le secret du manuscrit, Axel pense tout d'abord ne pas le dévoiler à son oncle, comme s'il voulait garder pour lui seul toutes les joies de la pénétration. Mais il finira néanmoins par faire part de sa découverte à son oncle. Et comment ce dernier réagira-t-il alors ?

– Rappelle-nous tout d'abord ce message secret, demanda Philémon.

– À ton service. C'est bien ce que j'avais prévu de faire. Transparent !

Le sens du manuscrit (p. 37)

En (mauvais) latin :
In Sneffels Yoculis craterem kem delibat Umbra Scartaris Julii intra calendas descende, audas viator, et terrestre centrum attinges... Kod feci.

Arne Saknussemm

Soit, en français :
Descends dans le cratère du Yocul de Sneffels que l'ombre du Scartaris vient caresser avant les calendes de Juillet, voyageur audacieux, et tu parviendras au centre de la Terre. Ce que j'ai fait.

Arne Saknussemm

Ou : c'est dans le cratère du Yocul qu'il faut descendre, mes amis ! Retirez le Yo et vous aurez, mesdames et messieurs, la vérité… nue, si j'ose dire ! Vous doutiez encore qu'il faille placer là les trois cheminées ? D'ailleurs, devant une telle révélation, l'oncle « ne se tient plus ». Voici sa réaction :

> Mon oncle, à cette lecture, *bondit* comme s'il eût *inopinément* touché à une bouteille de Leyde. Il était *magnifique* d'audace, de joie et de conviction. Il allait et venait ; *il prenait sa tête à deux mains* ; il déplaçait les sièges ; il empilait ses livres ; *il jonglait, c'est à ne pas le croire, avec ses précieuses géodes* ; il lançait un coup de poing par-ci, une tape par-là. Enfin ses nerfs se calmèrent et, comme un homme *épuisé* par *une trop grande dépense de fluide, il retomba dans son fauteuil* (p. 37, mes italiques).

– Et alors ? me demanda Philémon.

– Et alors, voici, monsieur l'incrédule, l'interprétation que je propose, moi, de cette explosion émotive d'Otto Lidenbrock :

a) L'oncle aurait « *ino-pinément* touché » : c'est donc de « pine touchée » qu'il est question ici.

b) Il « *bondit* » est à entendre comme : il « banda ».

c) « Il était *magnifique* » : le neveu fut admiratif devant la si belle « pine » avunculaire qui « bondit-banda » et il souhaita certainement en acquérir une aussi admirable, un jour, lui aussi (on trouve d'ailleurs une autre confirmation de l'admiration du neveu pour l'érectibilité de l'oncle un peu plus loin : « … *mon oncle demeurait ferme et droit comme au premier jour ; je ne pouvais m'empêcher de l'admirer…* », p. 99, mes italiques).

d) « *Il prenait sa tête à deux mains* » : la tête, c'est son pénis que l'oncle brandit à deux mains. Il se brandit lui-même dans une érection de toute sa personne transformée en un pénis glorieux.

e) « *Il jonglait, c'est à ne pas le croire, avec ses précieuses géodes* » : voici que ses « boules » sont entraînées dans la ronde…

f) … ce qui ne rend guère étonnant l'épuisement successif à la « *trop grande dépense de fluide* » (éjaculation de « fluide » spermatique, bien entendu).

g) Ce qui à son tour fait que nous ne sommes pas surpris lorsque ensuite nous lisons… qu'« *il retomba dans son fauteuil* ». Ou : à l'éjaculation succèdent, bien entendu, la fatigue et la flaccidité.

Alors donc, monsieur Saint-Thomas, vous avez là, traduite directement du langage de l'inconscient, la réaction fort libidineuse, n'est-ce pas ? du professeur. Le sens du manuscrit, c'est donc celui-ci et non un autre : la connaissance quêtée par nos héros, c'est celle des « choses de la vie », de comment on aime, de comment on pénètre, de comment on fait des bébés par la « cheminée du milieu ».

– Et pourquoi Jules Verne n'a-t-il pas décrit ces phénomènes plus directement, selon toi ?

– C'est que, Philémon, l'inconscient est fait de ces contenus érotiques bruts, mais aussi d'un revêtement de couverture, celui du refoulement. À l'œil nu, c'est-à-dire sans l'outil de la psychanalyse, nous ne voyons que cette couverture qui nous présente les éléments bruts en termes policés (une allée touffue, un cou de cygne…). Ces choses-là ne peuvent en effet apparaître à la claire conscience car elles y seraient assez intolérables de crudité et, de ce fait même, elles doivent être refoulées pour pouvoir s'y présenter…

en tenue décente, tout comme pour ces dîners auxquels on ne peut se rendre que bien vêtu et non « à poil » ou même en maillot de bain ! Ainsi le texte vernien est démonstratif à la fois de l'importance de la sexualité au sein des motivations humaines et du nécessaire travail de masquage, de refoulement, effectué par l'inconscient. Et, maintenant que vous êtes devenus des spécialistes de cet inconscient, je vais vous livrer le joyau des « passages érotiques » du *Voyage*... Voyons si vous en percerez le sens. Ainsi, lorsque les héros sont au fond du cratère et qu'ils attendent que le soleil vienne faire porter l'ombre du Scartaris sur la cheminée qu'il faut pénétrer, on lit :

> À midi, dans sa période la plus courte, elle [l'ombre du pic] vint lécher doucement le bord de la cheminée centrale (p. 122).

Et le professeur de s'écrier alors : « C'est là ! » Et Hans de répondre : « Forüt ! »

– Bon, si je te suis bien, dit alors Marie, dans ce cas, la cheminée centrale, c'est celle par laquelle se passent les « choses de la vie ». Elle est en particulier celle où l'homme pénètre la femme de son « pic ». Sans parler du « Forüt » du guide, qui semble s'y mettre lui aussi et qui, sous prétexte de dire ainsi « En avant » en islandais, emploie, comme par hasard, un mot qui contient la sonorité française de « rut » !

– Tu me comprends parfaitement bien ! « *Au centre de ce "Yokul", pénétrons "en rut" par la "cheminée centrale"* » ! Voici un voyage qui commence bien, n'est-ce pas ?

– Tu vois de la fesse partout ! objecta Philémon.

– Tu ne crois pas si bien dire. De la fesse, en veux-tu ? En voilà ! À un certain moment, le professeur parle avec un

Islandais qu'il veut berner et à qui il veut faire croire qu'il ne connaît pas si bien que cela la géographie et les noms locaux. Aussi feint-il que sa langue fourche et joue-t-il les benêts en lui disant :

> « Eh bien ! répondit mon oncle, qui se croisait frénétiquement les jambes pour ne pas sauter en l'air, j'ai envie de commencer mes études géologiques par ce *Seffel... Fessel...* comment dites-vous ? » (p. 76-77, mes italiques).

– N'est-on pas ici en pleine *Fessel/fesse* ? C'est Jules Verne lui-même qui fait ce jeu de mots ! Du côté fesse, es-tu satisfait, Philémon ?

– Hourra ! répondit celui-ci, en se levant, verre à la main. (Il en avait déjà vidé trois !) Je propose que l'on accorde désormais un crédit total aux dires de notre conférencier. Il nous a tout d'abord surpris. Mais il nous a enfin convaincus.

Et de me servir un verre plein d'un vieux saint-estèphe, mon cru préféré, pour me manifester sa confiance, désormais accordée sans réserve. Il ajouta :

– Maintenant que nous n'ignorons plus que la pierre sur laquelle est gravé le *Voyage* est celle du désir, celle de la libido, demandons à notre honorable exposant de nous en dire plus. Pourrait-il, par exemple, nous faire savoir quelle est la trame globale de ce récit en termes érotiques ? Nous faire comprendre, par-delà les détails, le déroulement d'ensemble du propos vernien ? (Il était un peu rouge, visiblement amusé par ma théorie sans détours à propos du *Voyage*... et par le saint-estèphe.)

– Mais bien volontiers, répondis-je.

– Et calme-toi un peu, *darling*, lui dit Gladys. Pas trop de bordeaux ! Hein ! Prends plutôt un peu de fromage.

Je continuai :

– Avant d'exaucer le vœu de Philémon, celui que je vous montre la trame érotique « globale » du *Voyage*, je vais en venir à la deuxième partie de mon exposé : le corps féminin certes, mais, plus spécifiquement encore, le corps maternel. Puis je vous démontrerai encore plus comment, « globalement », ce voyage est très proche de l'anatomie la plus concrète. Transparent suivant, s'il te plaît, ma chérie...

La mère

Ici, je dois dire que les choses ne sont pas très complexes. Axel est un jeune homme, sorti de l'adolescence, certes, mais encore très peu adulte. Le professeur va le mener en ce périple pour faire de lui son héritier en termes scientifiques, et donc pour le transformer en un homme doté de la puissance du savoir. Ne lui dit-il pas, par exemple :

> « ... de la gloire que nous allons acquérir tu auras ta part » (p. 38).

Et encore :

> « Tu n'es plus mon neveu, mais mon collègue » (p. 39).

Et Graüben, elle, ne lui annonce-t-elle pas l'avenir de la sorte, juste avant son départ :

> « Va, mon cher Axel, va... tu quittes ta fiancée, mais tu trouveras ta femme au retour » (p. 55).

Ce sont là les auspices d'un voyage qui est manifestement initiatique : un jeune homme quitte sa terre natale, il part conquérir le vaste monde et affronter ses dangers. Aguerri, il reviendra chez lui ensuite, devenu un homme en âge et en droit de prendre femme. De ce point de vue, pas grand-chose d'inattendu.

– C'est pourquoi, commenta Marie, les livres de Jules Verne plaisent tant aux enfants, et aux garçons en particulier. Ils leur décrivent leur avenir au travers de ces parcours initiatiques dans lesquels ils s'identifient aux différents héros : Passepartout, Phileas Fogg, Michel Strogoff, etc.

– Cela ne fait pas l'ombre d'un doute.

– Mais, justement, reprit Philémon, pour avoir encore plus de valeur, ton exposé ne devrait-il pas non seulement se consacrer au *Voyage* mais encore montrer que ce que tu proposes recoupe d'autres thèmes verniens. Je ne sais pas, moi, mais tu pourrais par exemple, en comparant tous les *Voyages extraordinaires*, nous montrer comment ils se résument à des explorations libidineuses du corps de la mère et de la femme qui, répétitives d'un volume à l'autre, y apparaissent simplement sous des travestissements narratifs différents...

– Tu n'as pas tort, Philémon. C'est peut-être une recherche à prévoir pour l'avenir. Mais on a le droit de choisir sa méthode ; le tout, c'est de le faire savoir clairement. Donc, si tu me permets de justifier mon choix épistémologique de façon un peu référencée, je te dirai, tout comme Robert[2], que chaque étude est limitée par le sujet même qu'elle se donne pour but de traiter. Exemple : imaginons que j'effectue une recherche sur l'habitat des souriceaux. Il est certain que, du fait même de mon sujet, je laisserai de côté celui de bien d'autres rongeurs. Mais j'ai cependant le droit de la développer si je ne confonds pas mes conclusions particulières sur les souriceaux avec des généralités sur l'ensemble de la classe des rongeurs.

– Mais Verne n'est pas un rat des champs !

– Certes non, Philémon, certes non. Ce que je veux te dire par là, c'est que mon travail peut bien ne porter que sur *un seul* des romans de Verne, et je peux bien me donner comme but de l'étudier en tant que production fantasmatique autonome se déployant de la première à la dernière de ses pages ; en revanche, je n'aurai pas le droit d'en conclure pour autant que *tous* les romans de Verne lui sont identiques. Cela dit, étudier un seul de ses romans peut se révéler passionnant en soi. En considérant ainsi que le *Voyage* est comme un long rêve de Jules Verne, on peut trouver beaucoup d'intérêt à essayer de démêler comment ce rêve se déroule de son début à sa fin, et ce qu'on puisse ou non le mettre en relation (voire l'opposer) à d'autres rêves-romans de Verne. En tout cas merci, Philémon, de m'avoir amené à donner ces éclaircissements méthodologiques.

– Mais de rien, *professor* !

– Je vous parlais de voyage initiatique. Et, si nous nous trouvons devant la conjonction des thèmes de la Terre et

2. Robert M. *et al.*, *Recherche scientifique en psychologie*, coédition Edisem à Saint-Hyacinthe (Canada) et Maloine à Paris, 1988.

de l'initiation, il y a de grandes chances que nous nous situions aussi dans le registre d'un voyage dans la *Terre-Mère*. La *Terre-Mère*, retenez ce mot clef de mon exposé. On a, en effet, au fil des âges et des civilisations, tellement de fois « projeté » la mère sur la Terre... mais, à propos, vous savez ce qu'entendent par « projection » les psychanalystes, n'est-ce pas ?

– C'est le mécanisme inconscient par lequel une personne attribue une pensée ou un sentiment se produisant chez elle-même à une autre personne, n'est-ce pas ?

– C'est cela même, Gladys. Et la projection peut aussi concerner une identité. Ici l'identité de la mère est projetée sur celle de la Terre. Dans de nombreux mythes, la Terre représente la mère (le sol de la mère-patrie, etc.), et tout particulièrement la mère qui donna le jour à ses fils et qui risque de les reprendre en elle et de devenir leur dernière demeure. Dans son ouvrage de synthèse[3], Durand le montre bien. Tenez, je vous l'ai amené. Attendez, je retrouve la page... Ah ! la voici. Il écrit : « Dans tous ces mythes, la terre joue un rôle... primordial. Elle est le ventre maternel dont sont issus les hommes » (p. 262). Et encore : « De nombreux peuples localisent la gestation des enfants dans les grottes, dans les fentes de rocher aussi bien que dans les sources... le sentiment patriotique (on devrait dire matriotique) ne serait que l'intuition subjective de cet isomorphisme matriarcal et tellurique... Le culte de la nature chez Hugo et les romantiques ne serait pas autre chose qu'une projection d'un complexe du retour à la mère » (p. 263).

---

3. Durand G., *Les Structures anthropologiques de l'imaginaire*, Paris, Dunod, 1992, p. 261s.

Souhaitez-vous entendre un autre auteur classique à ce sujet ? Je citerai dans ce cas Van Gennep : « On a parfois confondu cette sainteté du territoire ainsi délimité avec la croyance à la sainteté de la terre entière, en tant que Terre-Mère[4]. »

Autrement dit, je ne vais pas vous faire perdre votre temps avec ces banalités car établir le parallèle Terre/Mère, des générations de chercheurs s'y sont attelés et ils l'ont amplement démontré depuis longtemps. Ainsi, cette équivalence symbolique est-elle essentielle, centrale, primordiale pour la compréhension du *Voyage* : si je ne m'y attarde pas, c'est seulement parce que ce travail a déjà été fait par d'autres. Je vais plutôt continuer à vous détailler la symbolique anatomique du *Voyage*, répondant ainsi aux souhaits de Philémon. Transparent suivant, je te prie, Marie...

L'anatomie du *Voyage*

- Les trois orifices
- La fausse voie et les différents conduits féminins. La régression anale
- La cloison qui sépare le vagin de la vessie
- La mer intérieure et la matrice, le liquide amniotique
- L'éjection finale : un accouchement

4. Van Gennep A., *Les Rites de passage*, Paris, Émile Nourry, 1909 ; rééd. A. et J. Picard, 1981, p. 21.

Lors de l'enfoncement au fond du cratère, nous avons déjà vu qu'on trouvait **trois orifices.** Ce sont les orifices du pelvis féminin : méat urinaire, vagin et anus sont ainsi figurés. N'y revenons pas.

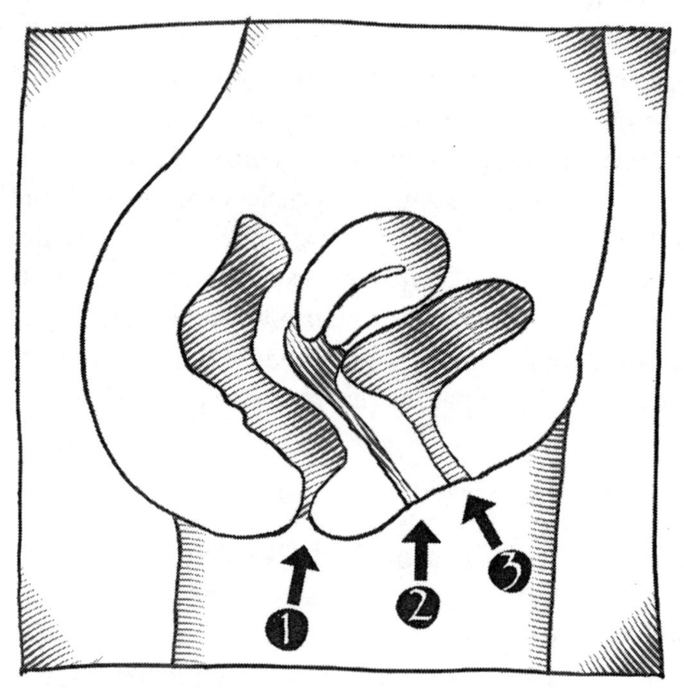

Au fond du cratère, béantes, trois cheminées s'offrent…

Nos aventuriers s'enfoncent dans la Terre et arrivent, au bout d'un temps, à un premier carrefour. Ils étaient en train de prendre un grand plaisir scoptophile[5] à découvrir les « entrailles de la Terre » (p. 128), c'est-à-dire l'intérieur de la femme. Et d'ailleurs même, Axel et son oncle rivalisaient d'exclamations enthousiastes à ce propos. Qu'on en juge :

5. Scoptophilie : plaisir et désir sexuel de voir.

> (Axel :) « C'est magnifique ! m'écriai-je involontairement. Quel spectacle, mon oncle ! Admirez-vous ces nuances de la lave qui vont du rouge-brun au jaune éclatant par dégradations insensibles ?
> (L'oncle :) Ah ! Tu y viens mon cher Axel !... Ah ! Tu trouves cela splendide, mon garçon ! Tu en verras bien d'autres, je l'espère » (p. 131).

Pourtant, et nonobstant cette admiration de la femme, s'il est un domaine qu'il n'est pas donné à l'espèce humaine de connaître d'emblée, c'est bien celui de ses angoissants mystères. La femme confronte à la peur de l'inconnu. Aussi n'est-il pas surprenant que, pour enthousiastes qu'ils soient, Axel et Otto hésitent. Cette hésitation est symbolisée dans le livre par la complexité du choix qu'ils doivent faire entre les deux routes qui s'offrent à eux à l'extrémité de la cheminée centrale du fond du cratère du Sneffels :

> Je regardais autour de moi. Nous étions au centre d'un carrefour, auquel deux routes venaient aboutir, toutes deux sombres et étroites. Laquelle convenait-il de prendre ? Il y avait là une difficulté (p. 135).

L'oncle opte pour la galerie est. Celle-ci mènera, par une succession d'« étroits boyaux » (p. 137), à une « mine de charbon » naturelle (p. 142), constituée là au fil des siècles, seule trace d'une exubérante végétation désormais transformée en houille par le temps (p. 145). Et Axel ne sera pas sans y humer du grisou (p. 146)... Est-ce que vous voyez où je veux en venir ?

Mon auditoire me regardait, incrédule. J'en profitai pour tartiner une tranche de pain aux noix d'une épaisse couche d'un onctueux camembert... Puis, ayant avalé ma bouchée, et m'étant léché les babines et les doigts, je repris :

– Pour un analyste, ces choses ne sont pas difficiles à comprendre. Et voici ce que nous dit ce passage dans la langue de l'inconscient :

a) La femme présente deux orifices à pénétrer : lequel prendre ?

b) La maturité sexuelle voudrait que la pénétration de l'orifice antérieur, celui du vagin, soit possible à effectuer. Vagin ou pénis : là se tient la différence sexuelle. Or, l'anus, orifice commun à l'homme et à la femme, peut représenter une « voie de repli » qui évite, justement parce qu'elle est « unisexe », de se confronter à cette différence. Celle-ci, en effet, est par nature angoissante à admettre car elle suppose d'accepter qu'il existe un « autre » différent de nous et que la femme soit précisément cet « autre » par excellence. L'« utilisation » de l'anus peut donc représenter une « fixation » infantile qui permet de faire l'économie de cette confrontation à l'autre. En somme donc, Axel et ses compagnons se voient guidés dans cette première partie du roman, vers une **régression anale**. La femme, oui, ils veulent la connaître, la pénétrer, la « goûter ». Mais, comme elle fait donc peur, ce ne sera qu'après un « retour en arrière », si l'on peut dire, qu'après une prise de position infantile qui n'affronte pas la génitalité à proprement parler[6], que nos

6. Bien entendu, la théorie qui sous-tend ces considérations est celle des stades de la sexualité selon Freud. Celui-ci a montré que, avant que de pouvoir connaître un « stade génital » où la sexualité adulte est accomplie par la rencontre des deux sexes différents et matures, l'enfant connaît des « stades prégénitaux » qui sont autant de points de fixation possibles. Il peut ainsi privilégier les « zones érogènes » que sont la bouche (stade oral), l'anus (stade anal), l'organe de la miction (érotisme urétral) ou bien le pénis (stade phallique).

héros, Axel en tête, pourront pleinement faire connaissance avec la femme… et sa noble fleur.

– Mais qu'est-ce qui te permet de dire que nous sommes ici dans le rectum ? demanda Gladys avec une moue de dégoût.

– J'allais y venir. Il s'agit de mon point c) : c'est la symbolique utilisée par Verne, banale pour le psychanalyste, qui permet de l'affirmer. Outre le vocabulaire utilisé (cf. les « boyaux »), nous trouvons ici du charbon, c'est-à-dire une matière noire, sans vie, et qui, à ce titre, symbolise les selles. Quant au grisou, il s'agit, bien sûr, d'un « gaz » (et, de plus, le seul élément qui fasse l'objet d'une mention olfactive dans l'exploration de l'intérieur de la Terre). C'est du gaz + ça sent + on est dans une mine de houille (matière morte) + on circule dans des « boyaux » = suivez le guide ! Merci, monsieur Verne, avec vous on sait où l'on se trouve : dans le derrière !

– Super ! s'écria Philémon, hilare à cette évocation : la Terre-Mère pétomane pleine de gaz ! Tu nous gâtes, Achille-Édouard ! Tu nous gâtes ! Mais, bon, tout de même, de quelles preuves disposes-tu lorsque tu nous racontes tout cela ? On ne peut te croire sur parole simplement parce que tu nous affirmes que telle chose équivaut symboliquement à telle autre.

– Mon cher Philémon, je te remercie de ta remarque. En effet, il faut établir que de telles élucubrations ne sont pas purement arbitraires. Ainsi, ce qui les rend très probablement fondées, ce sont nos expériences cliniques. Sans prétendre qu'il puisse exister une « clef universelle des symboles inconscients », car beaucoup sont propres à chaque individu, on peut tout de même en reconnaître qui sont communs à l'humanité en général du fait que beaucoup de patients, les uns après les autres, nous les exposent au fil de leurs psychanalyses. Voici un exemple tout simple de symbole « standard » pour te convaincre qu'il en existe bien de tels : si je te dis que les voitures rouges, longues et puissantes représentent souvent la force virile et le phallus, tu ne sauteras pas au plafond de surprise, tu en conviendras ?

– Non, effectivement, je ne serai pas surpris. Euh… à propos, tu m'inquiètes : je roule dans une vieille Volvo verte… cela veut-il dire que je n'ai pas cette force virile ?

– Passons sur ta vieille Volvo verte et laisse-moi simplement te dire que, lorsque, de son oreille entraînée, l'analyste entend parler de conduits internes et autres cavernes, eh bien il pense corps, ventre. Et que lorsque, de surcroît, viennent s'ajouter des gaz et des odeurs, l'affaire est jugée pour lui : c'est dans l'intestin, dans l'anus que l'on se situe. Je peux continuer ?

– Oui, vas-y, me dirent Marie et Gladys en chœur.

– Nos héros rebroussent chemin et reviennent à ce fameux carrefour. Cette fois-ci, c'est l'autre galerie qui est empruntée. À nouveau, ils y connaissent une véritable jouissance des yeux à pouvoir découvrir l'intérieur de la Terre, c'est-à-dire métaphoriquement l'intérieur de la femme. Le noir du charbon y est en effet remplacé par un scintillement merveilleux :

> La lumière […] croisait ses jets de feu sous tous les angles, et j'imaginais voyager à travers un diamant creux, dans lequel les rayons se brisaient en mille éblouissements (p. 153).

Mais l'eau, elle, manque cruellement ! Au point où la mort menace ! Les forces abandonnent Axel :

> À moi, je meurs !… Tout est fini !… Un silence profond régnait autour de nous, un silence de tombeau… (p. 155).

Et c'est Hans, dont le rôle providentiel va dès lors aller se confirmant tout au long du roman, qui va sauver nos héros.

– Ah, oui ! dit Philémon. En trouvant le ruisseau !

– Exact. Et te souviens-tu comment Hans fait pour le trouver, ce ruisseau ?

– Il procède à l'ouïe. Il entend murmurer de l'eau. Il se rend compte qu'elle court derrière la paroi rocheuse de la galerie. Il la perce de son pic (quelle virilité !) et, à ce moment-là, le ruisseau s'écoule, leur fournissant en abondance l'eau salvatrice.

– C'est cela même. Écoutez :

> ... un sifflement se fit entendre. Un jet d'eau s'élança de la paroi [...] La source était bouillante [...] bientôt nous y puisions notre première gorgée (p. 159 et 160).

– Donc, chers amis, je propose que nous entendions ce passage ainsi : la paroi qui sépare du ruisseau nos explorateurs confirme nos théories anatomiques car elle figure au plus près la **cloison vagino-vésicale**. D'un côté le vagin ; de l'autre la vessie, emplie de liquide. C'est ici une régression à l'érotisme urétral qui s'opère.

– Hormis que c'est dégoûtant, ton truc, je crois que décidément tu vois un peu trop de sexe partout, toi, me lança Marie, visiblement un peu énervée.

– Mais non, ma biche, c'est que le sexe est vraiment, si ce n'est partout, du moins en de nombreux endroits. Écoute, accepterais-tu, avant de me lancer la pierre, de considérer plutôt le vocabulaire vernien lui-même :

> Ah ! quelle *jouissance* ! Quelle incomparable *volupté* ! Qu'était cette eau ?... Peu importait.

> C'était de l'eau, et, quoique *chaude* encore, elle ramenait au cœur la vie, prête à s'échapper. Je buvais sans m'arrêter [...] Elle a un *goût* d'encre... (p. 161, mes italiques).

Que veux-tu de plus ? De l'eau chaude, et qui a un goût, je le déplore, mais, dans une telle conjonction, c'est... de l'urine ! Certes, on pourrait se contenter de dire, de façon plus timorée, que ce dont s'abreuvent Axel et ses compagnons, c'est d'un vague « liquide corporel maternel ». Mais, tout de même, ici on est guidé plus spécifiquement vers de l'urine. Verne vient de nous faire sortir du rectum ; il s'est translaté un peu à côté, dans l'autre voie qui s'offrait à lui, c'est-à-dire celle du vagin. Il est donc logique que, de l'autre côté de la paroi, ce soit de la source, *chaude et goûteuse*, de la vessie qu'il soit désormais question. C'est une évocation un peu « cracra », j'en conviens, mais ainsi parle l'inconscient. Rappelle-toi que l'on est ici dans des « entrailles » et des « boyaux » et non pas dans une manufacture de porcelaine ! Un des ingrédients du roman vernien, un des éléments de son succès, c'est d'ailleurs bien d'avoir été ainsi écrit « dans et avec les tripes ».

– Mmmouais, me fit Marie, mi-convaincue.

– Moi je trouve ça assez parlant, dit Gladys, même si, c'est vrai, ce n'est pas très « appétissant ».

– La suite – **la mer intérieure, la matrice, et le liquide amniotique** – va presque sans dire à partir de ce que nous avons déjà vu : en effet, les conduits féminins une fois parcourus doivent aboutir, c'est tout naturel, à un espace intérieur et il ne fait donc pas mystère que la mer qui se trouve dans le cœur de la Terre soit l'élément maternel interne, sa matrice et son liquide amniotique dans lesquels nos trois héros vont se plonger, et en particulier Axel, celui qui mène le récit. Écoutez ceci :

> D'abord je ne vis rien. Mes yeux déshabitués de la lumière se fermèrent brusquement. Lorsque je pus les rouvrir, je demeurai encore plus stupéfait qu'émerveillé.
> « La mer, m'écriai-je.
> – Oui, répondit mon oncle, *la mer Lidenbrock*, et j'aime à le croire, *aucun navigateur ne me disputera l'honneur de l'avoir découverte et le droit de la nommer de mon nom* » (p. 193, mes italiques).

– Ce en quoi, reprit Marie en levant les yeux au ciel, Achille-Édouard prétend qu'il ne faut pas entendre autre chose que « *la mère Lidenbrock* » ! Et, à l'appui de cette thèse, il invoque le fait qu'Otto Lidenbrock voudrait prendre cette « mer-mère » pour femme et que, à ce titre, non seulement il lui donne son nom, mais encore il met en garde Axel : « ... *aucun navigateur ne me disputera l'honneur de l'avoir découverte et le droit de la nommer de mon nom* ». Ou : « *Vade retro*, Œdipe ! La mère est à moi, le père, et non à toi, le fils ! Tiens-toi-le pour dit. Et pour que cela soit encore plus incontestable, je lui donne mon nom, comme fait le mari à la femme qu'il épouse : elle est à moi ! À moi seul ! » Achille-Édouard m'a expliqué que c'est là le sens caché de cette petite phrase que Lidenbrock prononce devant Axel. D'ailleurs, il me bassine tellement avec ses théories sur le *Voyage au centre de la Terre* que, parfois, je pourrais vous l'exposer à sa place ! Un vrai monomaniaque ! Au point que, pas plus tard qu'hier, j'ai rêvé qu'il nous obligeait tous à déménager dans une maison troglodyte !

– Ô Marie, si tu savais tout le mal que tu me fais... C'est intéressant tout de même, ce que je te raconte ! Et novateur : tu ne peux pas te plaindre ainsi ! Où trouverais-tu un autre mari qui te raconterait de façon aussi passionnée ses inventions passio... Nantes !

– J'en conviens ! reprit Marie. Mais parfois tu es un peu du genre professeur Lidenbrock, ou même Tournesol : quand tu as une idée fixe, on l'entendrait presque vrombir dans ta tête ! Et pendant ce temps, qui est-ce qui fait tourner la maison, les lessives ? Qui fait les courses au supermarché ?

– Marie, est-ce le sujet du jour ? Vraiment ?

– Dis-moi de quelle couleur sont tes chaussettes !

– Euh... (je baissai les yeux), une verte et une... bleue... Tiens ! je me suis trompé en les prenant ce matin...

– J'ai épousé Tournesol ! Il ne voit même pas ses chaussettes, tout concentré qu'il est à psychanalyser le *Voyage* !

– ... Attends ! intervint Philémon, engageant alors de façon heureuse la conversation dans une autre direction. Ce n'est pas un peu facile, ton interprétation, celle de « *la mer-la mère* » ? Un peu élémentaire comme jeu de mots ? Dans d'autres langues, par exemple, la *mère* ne se dit pas presque de la même façon que la *mer*, comme en français.

– Certes, Philémon. Et j'apprécie, ô combien, que tu me pousses dans mes retranchements. Je te répondrais donc ceci : *primo*, effectivement il n'est pas sûr que la *mère* et la *mer* soient confondues mais nous sommes néanmoins encore une fois dans une conjoncture « convergente » qui est très plausible ; *deuxio*, ce livre est écrit en français et la langue dont use Jules Verne ne recule pas, je te le rappelle, devant les consonances : je te renvoie à ce sujet aux « oseibo » et autres « Yoculs » ; *tertio*, même si le mot n'est pas le même dans d'autres langues, il n'en reste pas moins que, pour elles aussi, le liquide ambiant et la poche contenante au sein de son immensité sont des métaphores du maternel, celles qui nous parlent du monde qui nous entoure. C'est pourquoi, comme Marie vient de vous le dire, je formule l'hypothèse que la scène à laquelle nous assistons ici correspond à l'archétype de la prise de possession par le vieux mâle, par le chef de la horde comme l'aurait dit Freud, de la femme, de la *mer-mère*.

– Et ton liquide amniotique ? me demanda Gladys.

– Je crois qu'il n'y a pas à chercher bien loin non plus. Nous sommes dans le ventre de la mère, en douterais-tu encore ?... Je crois le deviner à ton regard... Je prendrai alors appui sur Mircea Eliade lorsqu'il nous rappelle ce qu'il en est des mythes d'émersion, en particulier chez les Indiens Navajos[7]. La Terre-Mère est en effet conçue chez eux comme la grande génitrice. Dans son texte, Eliade montre qu'il faut même entendre les choses « à l'envers », c'est-à-dire que, pour nombre de cultures, ce n'est pas la Terre qui représente la mère, mais, à l'inverse, la mère qui n'est que la représentante de la « grande mère » tellurique. Ainsi LA mère, ce serait elle, la Terre ; LES mères humaines n'en seraient, elles, que des représentantes, des dérivés. Le « sentiment obscur d'une solidarité mystique avec la Terre natale », nous dit-il (p. 203), débouche ainsi sur les mythes de l'autochtonie. « Dans la préhistoire, la caverne, maintes fois assimilée à un labyrinthe ou transformée en labyrinthe, était à la fois le théâtre des initiations et le lieu où l'on enterrait les morts. À son tour, le labyrinthe était homologué au corps de la Terre-Mère. Pénétrer dans un labyrinthe ou dans une caverne équivalait à un retour mystique à la Mère – but que poursuivaient aussi bien les rites d'initiation que les rites funéraires » (p. 211).

7. Eliade, M., *Mythes, rêves et mystères*, Paris, Gallimard, 1957, p. 195s.

Peut-on être plus clair ? Peut-on être plus proche du sens du texte vernien ? On naît fantasmatiquement de la Terre, on veut y retourner à sa mort. Des cycles permanents se produisent ainsi, qui débouchent en particulier sur l'idée que, pour renaître, il faut mourir tout d'abord en elle. Avec le trajet de notre Axel, ce parcours initiatique de base est porté à sa quintessence : mourir dans la mère pour mieux y renaître et en renaître ensuite, c'est une partie essentielle de la dynamique du *Voyage*.

– Mais Axel ne meurt pas dans le *Voyage* ! s'écria Philémon.

– Ne l'affirmons pas trop vite. À l'évidence, je t'entends bien, Philémon, et je ne peux qu'être d'accord avec toi : il ne meurt pas. Sinon, pour commencer, il ne pourrait simplement pas être là pour nous raconter son histoire. Mais sais-tu, par contre, combien de fois il meurt *presque* ? Ce qui à mon avis est à entendre comme mourir symboliquement. Nous avons déjà vu ce qu'il en était de sa « mort de soif ». Mais un peu plus loin (p. 174), le revoici occupé à quasi mourir à nouveau, alors qu'il a perdu le chemin du précieux « Hans Bach ». Il se perd, tel le Petit Poucet, renouant ainsi avec le thème, mille fois utilisé dans les contes pour enfants, de l'enfant égaré par ses parents. Va-t-il mourir ? Je cite :

> Il fallait mourir et de la plus effroyable des morts !... Et, chose étrange, il me vient à la pensée que, si mon corps fossilisé se retrouvait un jour... (p. 179).

Et :

> ... je tombai comme une masse inerte le long de la paroi, et je perdis tout sentiment d'existence ! (p. 180).

Il perd connaissance. Puis il se réveille. Mourir pour renaître ? Il le dit ensuite de la façon la plus évidente :

> Quand je revins à la vie… (p. 181).

Suit à ce moment-là, vous vous en souvenez, le miracle qui le sauvera, celui de la curiosité acoustique lui permettant de communiquer avec son oncle à distance. Mais, même à cet instant, alors qu'ils auront échafaudé un plan pour se rejoindre, et comme Axel suivra ce trajet, il connaîtra une chute et manquera de fort peu de se fracasser le crâne. Son oncle l'en informera d'ailleurs à son réveil :

> « Véritablement, me dit-il, il est étonnant que tu ne te sois pas tué mille fois. Mais, pour Dieu ! ne nous séparons plus, car nous risquerions de ne jamais nous revoir » (p. 191).

Quelle mère ! Quelle mère ! les amis, que cette Terre qui risque ainsi de tuer son enfant à chacun de ses pas ! Et je vous passe la navigation dans laquelle nos héros s'embarquent sur cette mer-mère intérieure :

> Vingt fois nous sommes sur le point de chavirer (p. 224).

L'orage survient et la boule de feu se précipite sur eux (p. 238), menaçant d'entraîner Axel dans les flots (p. 240). Mais il réchappe de justesse de cette noyade. Puis l'aventure se poursuit et le radeau fait naufrage. Axel échappe encore à la mort à cette occasion :

> Ce qui se passa au choc du radeau contre les écueils de la côte, je ne saurais le dire. Je me sentis précipité dans les flots, et si j'échappai à la mort, si mon corps ne fut pas déchiré sur les rocs aigus, c'est que le bras vigoureux de Hans me retira de l'abîme (p. 241).

Enfin nos héros ressortiront de la terre, portés par la lave du Stromboli. Inutile de vous dire que la mort sera également frôlée de près tout au long de cette expulsion :

> ... nous n'avions des vivres que pour un jour... (p. 278).
> ... Si nous ne sommes pas noyés ou brisés, si nous ne mourons pas de faim, il nous reste toujours la chance d'être brûlés vifs (p. 283).
> Sans les bras de Hans, plus d'une fois je me serais brisé le crâne contre la paroi de granit (p. 293).

Cela vous suffit-il ? Vous ai-je assez montré ce qu'il en était de ces incessantes morts-renaissances d'Axel ?

Pour finir, Jules Verne a placé dans les dernières étapes du *Voyage* un véritable récit d'**accouchement** (p. 275 à 295)[8]. Les héros y font sauter une paroi à la poudre. Pendant que la mèche qui devait déclencher l'explosion se consume, ils remontent sur leur radeau. La paroi détruite, voici que la brèche ouverte aspire la mer Lidenbrock, conduisant vers une chute d'eau presque verticale sur laquelle le radeau dévale. Puis cette chute s'interrompt et l'eau se met à

8. Un thème déjà reconnu et développé par Maurice Thuillière, « Voyage au centre de la mère », in *Bulletin de la Société Jules Verne*, n° 80, 1986, p. 21 à 24.

remonter. Ils se retrouvent ainsi dans une cheminée du Stromboli. Des mouvements ascensionnels et des pauses immobiles s'y succèdent avant l'expulsion finale. Ne trouvons-nous pas ici, donnés presque sans travestissement, le récit d'une rupture de paroi amniotique, de la perte des eaux, des contractions, et de l'expulsion finale de l'enfant ? Puis vient enfin la libération par le Stromboli. Ils sont alors :

> **... repoussés, expulsés, rejetés, vomis, expectorés dans les airs... (p. 289).**

Un vocabulaire pour le moins anatomique, corporel, on le voit.

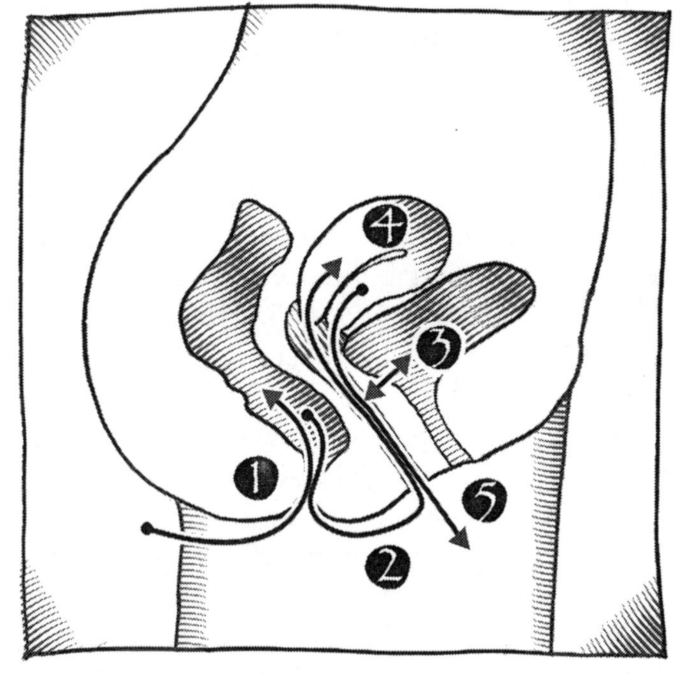

❶ *La galerie Est est empruntée,* ❷ *puis la deuxième galerie,* ❸ *on perce la paroi,* ❹ *la caverne souterraine et la mer (amniotique) intérieure,* ❺ *éjection-accouchement.*

– En as-tu donc fini avec ton « exposé anatomique » ? me demanda Gladys, qui semblait un peu fatiguée.

– Oui, presque. Et il me suffira pour conclure de vous apporter une vue synthétique sur les puissances libidinales qui animent le roman, de vous dire un dernier mot à propos de quelques notions supplémentaires qui courent tout du long de ce récit et qui témoignent des forces de vie qui animent nos héros. Des forces qui « poussent » de l'avant. Je pense bien sûr en disant ceci à cette force interne que Freud a nommée la « pulsion », celle qui nous fait vivre, aimer, désirer. Elle n'est pas peu présente dans ce récit, la bonne vieille pulsion freudienne ! Elle y figure en particulier sous trois jours privilégiés, ceux de la pression, de la chaleur et de la lumière.

Les deux premières, **pression et chaleur**, y sont liées : une des grandes craintes d'Axel est en effet que, sous le coup d'une pression croissante, la température de la Terre n'aille en augmentant au fur et à mesure que nos héros s'enfonceront en elle et qu'elle en vienne donc à les carboniser. Je n'ai pas compté moins de treize passages où Axel évoque la théorie de la chaleur centrale de la Terre : pages 43, 108, 126, 131, 135, 144, 169, 195, 198, 205, 216, 232, 283 ! C'est une véritable obsession chez lui ! Sans cesse il oppose en son esprit, d'une part, la théorie de Humphry Davy qui réfute – c'est du moins ce que rapporte le roman (p. 43) – l'idée que la température interne du globe aille croissant au fur et à mesure que l'on s'enfonce en lui et, d'autre part, les autres théories, plus classiques à ses yeux, selon lesquelles plus l'on s'enfonce et plus la chaleur et donc la pression des gaz dégagés se font puissantes et menaçantes (avec des risques d'explosions, de tremblements de terre et de fusion des éléments et, conséquemment pour nos héros, celui d'être broyés). Or, le *Voyage* se déroule sans ennuis de température, ce qui n'empêche pas Axel, sans cesse, de penser et de repenser à cette menace thermique et de conclure que ce qu'il vit relève d'un phénomène inexpliqué, d'une exception qui doit être marginale, une exception par rapport à une théorie qui, selon lui, doit rester la règle partout ailleurs :

> Que signifiait un pareil changement ? Jusqu'alors les faits avaient donné raison aux théories de Davy et de Lidenbrock ; jusqu'alors des conditions particulières de roches réfractaires, d'électricité, de magnétisme avaient modifié les lois générales de la nature, en nous faisant une température modérée, car la théorie du feu central restait, à mes yeux, la seule vraie, la seule explicable… (p. 283).

Je veux voir ici un double questionnement. D'un côté, celui de la pulsionnalité d'Axel, ce libidineux qui veut voler la femme à son oncle et la pénétrer : résistera-t-il lui-même à son « échauffement » pulsionnel ? Ou bien son esprit éclatera-t-il sous la « pression », sous la « température » de ses sangs, de ses humeurs ? D'un autre côté, c'est de la Terre-Mère qu'il s'agit : est-elle chaude ? brûlante ? froide ? glacée ? C'est-à-dire aimante (chaude) ou indifférente (froide) à ses enfants, à Axel ? Quelques notations signalent en effet le froid qui règne parfois en elle, comme en particulier à l'ombre des champignons géants, dont il nous est dit :

> Un froid mortel descendait de ces voûtes charnues (p. 198-199).

Enfin, la **lumière** tient elle aussi une place essentielle dans le roman. Tout d'abord, c'est elle qui préside à la faisabilité même du *Voyage*. Lorsque nos héros sont au fond du Sneffels, ils attendent, en effet, que l'astre solaire veuille bien se montrer. Et il s'en faut de peu qu'il ne daigne pas paraître :

> Le lendemain [25 juin], un ciel gris nuageux, lourd, s'abaissa sur le sommet du cône... Or si le soleil venait à manquer, pas d'ombre. Conséquemment, pas d'indication [sur la cheminée à choisir]... Que le ciel demeurât couvert pendant six jours, et il faudrait remettre l'observation à une autre année... le 26, rien encore... Le lendemain le ciel fut encore couvert ; mais le dimanche, 28 juin, l'antépénultième jour du mois, avec le changement de lune vint le changement de temps. Le soleil versa ses rayons à flots dans le cratère...

Et la phrase délicieuse, que je vous cite à nouveau, pour le plaisir de l'entendre encore une fois :

> À midi, dans sa période la plus courte, elle vint lécher doucement le bord de la cheminée centrale.
> « C'est là ! s'écria le professeur, c'est là ! Au centre du globe !
> – Forüt ! » fit tranquillement le guide... (p. 121 et 122).

Or, pour des psychanalystes, la lumière est une métaphore de la relation affective et de la pensée[9]. Son intensité

9. Pour un exposé, « lumineux et brillant », de ces notions, on peut se référer au très beau livre de Guy Lavallée, *L'Enveloppe visuelle du moi. Perception et hallucinatoire*, Paris, Dunod, 1999.

figure la proximité affective (forte, faible, voilée, aveuglante...), et sa présence le fait que l'esprit est « vif » ou « terne ». Or, s'il est un instrument privilégié parmi ceux que nos héros emportent, c'est bien celui de l'appareil d'éclairage de Ruhmkorff. Un long développement lui est consacré dans – privilège ! – la plus longue note de bas de page que comporte le roman. On y apprend que :

> [cette lampe est] une pile de Bunzen, mise en activité au moyen du bichromate de potasse, qui ne donne aucune odeur... [Grâce à cet appareil qui donne] une lumière blanchâtre et continue, [on peut] s'aventurer, sans craindre aucune explosion, au milieu des gaz les plus inflammables [et elle] ne s'éteint pas même au sein des plus profonds cours d'eau (p. 83).

Autrement dit, d'un côté on vit au risque de la sauvagerie des éléments (la Terre-Mère qui peut tuer ses enfants et qui oscille à leur égard entre froideur mortelle et chaleur volcanique) mais, de l'autre, on trouve aussi de la pondération et, à ce titre, une lampe qui, quoi qu'il arrive, elle, ne défaillira pas et qui délivrera toujours la même quantité de lumière, c'est-à-dire de vie. Danger de la démesure et sécurité de la mesure sont donc conjoints tout au long de l'aventure : les variations et/ou la stabilité de la lumière en sont les symboles.

Et voilà, mesdames et messieurs, j'en ai fini de mon exposé. Maintenant, comme je vous vois grignoter depuis tout un moment, je crois que voici venu mon tour de mordre moi-même à pleines dents dans ces bons fromages.

Je terminai la soirée en devisant sur un roquefort de petit producteur. Des vagues puissantes de saint-estèphe me permirent d'affronter des fromages corses médaillés et des mont-d'or consommés à la petite cuillère… Ce fut Marie qui conduisit pour rentrer à la maison.

Résumé du chapitre

Le *Voyage au centre de la Terre* est à l'évidence une aventure initiatique. Nous y sommes invités à nous identifier au héros, le jeune Axel. Celui-ci fait une découverte merveilleuse qui va le guider vers de dangereuses aventures. À plus d'une reprise, elles manqueront de peu d'entraîner sa mort, mais son parcours sera récompensé par la possibilité de prendre femme. Il est fort compréhensible que, dès lors, ce soit le désir, la libido, qui soit la force motivante première, la pulsion qui l'entraîne. De nombreux indices du roman sont en fait des indices de cette libido, que le refoulement implique de travestir sous des formes symboliques. Au travers de celles-ci se dévoile une Terre dont l'intérieur rappelle d'assez près l'anatomie féminine. Et ce n'est pas de n'importe quelle femme qu'il s'agit ici mais de la mère, de la Terre-Mère, elle qui se retrouve dans tant de mythes. Le mouvement pulsionnel est, quant à lui, principalement symbolisé tout au long du roman par les thèmes de la pression, de la chaleur et de la lumière.

3

Cap sur l'Œdipe !

« Quand je fus seul, l'idée me vint d'aller tout conter à Graüben. Mais comment quitter la maison ? Le professeur pouvait rentrer d'un instant à l'autre. Et s'il m'appelait ? Et s'il voulait recommencer ce travail logogryphique, *qu'on eût vainement proposé au vieil Œdipe* ? »

Voyage au centre de la Terre, p. 26.

« Et je montrai à mon oncle un poignard couvert de rouille, que je venais de ramasser. »

Voyage au centre de la Terre, p. 266.

Il pleut tout le temps à Nantes. Ou presque. Même lorsqu'il ne pleut pas car, alors, on attend la pluie. Ou bien on commente d'un « Il fait beau », à entendre comme s'il ne s'agissait là que d'un répit, d'une éclaircie transitoire.

Partout ailleurs, la pluie gêne ; mais, à Nantes, elle constitue un des charmes de la ville et elle fait partie intégrante de son identité. Fine, qu'elle soit serrée ou vaporeuse, elle est une amie qui caresse. Forte et grosse, comme un bienfait, elle lave la ville et le coin de ciel bleu qui vient après est comme plus brillant et pimpant tel le pont de bateau que l'on vient d'arroser à grande eau et de brosser au balai dur.

Lorsque la pluie est ainsi en mode majeur, il est vraiment difficile de jogger, pour ne pas parler de l'impossibilité de faire du vélo. C'est donc par une de ces journées où tombent des cordes que nous décidâmes, Philémon et moi, de ne pas faire notre virée dominicale habituelle. Au programme de ce dimanche matin, Marie et moi, nous inscrivîmes donc, à la place de l'exercice physique, une mini-grasse matinée qui serait suivie d'un nouvel exposé pour lequel, cette fois-ci, nous recevrions Gladys et Philémon chez nous. Brunch pour tous !

Lorsque nous fûmes ainsi réunis à nouveau, je repris donc mon exposé :

– Chers amis, je réclame un peu de silence. Pourriez-vous, je vous prie, poser vos tasses un instant ? Je vous distribue le plan de mon exposé de ce matin.

J'avais en effet sorti sur mon imprimante, en plusieurs exemplaires, le plan suivant :

Œdipe & Co

I. Le complexe d'Œdipe : un rappel succinct
II. Du besoin d'un bon appui homosexuel pour aller vers l'hétérosexualité
III. Appui homosexuel et clémence du Surmoi
IV. Comment les choses vont de leur ordre « naturel » dans le *Voyage*
V. La chaîne des générations, un appui existentiel

– Beau programme ! commenta Philémon. Là encore, on ne va pas s'ennuyer. Mon capitaine, nous embarquons dès que vous voulez !

– Allons-y, moussaillons ! (Et à cet instant même un coup de vent fit frémir les volets, comme pour ponctuer mon propos maritime.) Et maintenant, un peu de théorie, si vous le voulez bien, pour vous faire réellement comprendre ce dont il s'agit dans le *Voyage*, au niveau inconscient j'entends.

Le complexe d'Œdipe : un rappel succinct

– Qui dit psychanalyse et qui dit Freud dit complexe d'Œdipe. Tout champ de savoir devenant célèbre le fait au prix de sa simplification et ses notions les plus vulgarisées, celles qui restent implantées dans l'esprit de tous, sont nécessairement schématiques. Le complexe d'Œdipe est l'une d'entre elles. Il n'échappe pas à cette règle et ce qui en est le plus communément retenu est sa version simplifiée. Tiens, par exemple, Gladys, dis-moi ce que représente pour toi le complexe d'Œdipe, si cela ne te dérange pas.

– C'est l'amour que le garçon porte à sa mère, non ? Un « amour d'amoureux » et pas seulement de fils, n'est-ce pas ? Comme dans le film de Louis Malle *Le Souffle au cœur*.

– Vous êtes dans le vrai, madame. Mais dans un vrai incomplet. Car, laissez-moi vous le dire, le complexe d'Œdipe mérite d'être étendu à des notions plus vastes. Les voici :

a) Il concerne le père et la mère.

b) Et ceci que l'on soit garçon ou fille.

c) Il est direct et inversé. C'est-à-dire que l'on y peut, dans la forme « classique », positive, directe, pour le garçon, aimer sa mère et détester son père, comme dans *Le Souffle au cœur* précisément, tu as raison. À l'opposé, pour la fille, il s'agit d'aimer son père et de détester sa mère. Mais, dans la forme négative, inversée, un garçon peut être aussi animé de mouvements de haine vis-à-vis de sa mère et d'amour pour son père ; et à l'opposé pour la fille. Qui plus est, ces mouvements contradictoires sont le plus souvent simultanés et mélangés en proportions diverses dans l'inconscient de tout un chacun. Mais l'axiome de base de l'Œdipe est surtout que l'on souhaite occuper dans le cœur de chaque parent une position privilégiée qui exclut l'autre (j'aime maman, je veux être le seul à compter pour elle, et pour cela je veux dépasser et éliminer papa ; j'aime papa et déteste maman que je veux éliminer, etc.)

d) Ce que l'on oublie le plus souvent, mais qui est primordial – et il s'agit du point sur lequel je veux surtout insister ici, de mon sujet d'aujourd'hui – c'est que le complexe d'Œdipe comporte une part d'*interdit.* Ainsi, Gladys, si je reprends ton exemple, il est essentiel que l'amour que le garçon porte à sa mère ne trouve pas d'écho en elle : enfin pas d'écho amoureux ; de l'affection oui, bien sûr, mais de l'érotisation, non. Je veux dire que si, par malheur, elle acceptait ces mouvements et avait une relation sexuelle avec son fils, ce ne serait plus de l'Œdipe, mais de l'*inceste.* Et si, sans les accepter franchement et sans aller jusqu'à l'inceste consommé, elle les favorisait néanmoins par des attitudes ambiguës, ce serait tout de même de l'*incestuel*[1]. Inceste et incestuel représentent des éventualités catastrophiques pour le garçon ou pour la fille car alors le parent concerné se sert de son enfant comme d'un point d'ancrage affectif pour lui-même et ne lui donne pas la possibilité de faire, avec indépendance, son chemin à lui de par le vaste monde, de prendre femme ou mari, de vivre une vie amoureuse et une sexualité épanouies et autonomes. Dans ce cas, au lieu d'être comme un tremplin pour son enfant, en le retenant amoureusement, ce parent devient comme un lierre emprisonnant son psychisme, voire le tuant dans l'œuf. Aussi, pour nous psychanalystes, repérer comment le patient a vécu, et comment il reste imprégné de la relation à ses parents, de façon œdipienne, incestuelle, ou incestueuse, est un élément fondamental.

– Tout de même, l'incestuel, c'est une notion difficile à comprendre. C'est de l'inceste ou ça n'en est pas ?

---

1. Une notion introduite par l'auteur français Paul-Claude Racamier (à son sujet, voir p. 181).

– Ce n'est pas de l'inceste, Philémon, au sens où l'acte sexuel n'y est pas consommé ; mais c'en est tout de même, de façon moins franche, au niveau intrapsychique. Et c'est pourquoi cette nuance est difficile à saisir. Je te donne un exemple. J'avais une patiente[2] qui, sans jamais avoir couché avec son père (donc pas d'inceste *stricto sensu*), s'était pourtant trouvée « séduite » par lui de la sorte (incestuel) : il lui faisait valoir régulièrement, par des allusions, qu'elle était plus intelligente que sa mère, qu'il pouvait lui faire plus confiance qu'à cette dernière et d'ailleurs, souvent, pour prendre des décisions importantes, c'était effectivement à sa fille qu'il se référait et non à sa femme. Vous trouvez ici une situation incestuelle typique. Si ce père avait préféré faire confiance à son épouse et non à elle, ladite patiente aurait pu en concevoir une jalousie normale et, en fantasme, souhaiter supplanter sa mère dans l'affection et l'estime de cet homme. Je dis bien *en fantasme* car alors la réalité ne serait pas venue confirmer ses désirs et ceux-ci ne seraient restés *que* des désirs, *que* des fantasmes. Mais ici, précisément, il avait donné aux fantasmes œdipiens de sa fille un certain poids de *réalité* en venant à leur rencontre de telle manière qu'elle pouvait entendre dans ce qu'il lui disait un : « Tu es la plus belle, la plus intelligente et je te préfère vraiment à ta mère. » Cette notion, celle de l'effet traumatique de la rencontre entre un fantasme intérieur au psychisme et sa concrétisation extérieure, est centrale pour la psychanalyse, c'est pourquoi je vous ai préparé à son propos un petit résumé (que je distribuai à mes élèves).

2. Aucune des citations cliniques faites dans cet ouvrage ne correspond directement, pour d'évidentes raisons de confidentialité, à l'histoire réelle d'un(e) de mes patient(e)s ; néanmoins elles peuvent à l'occasion s'en rapprocher de par les linéaments, tout simplement humains, qui constituent les points communs de la trame psychique de l'existence de nombreuses personnes.

Fantasmes et réalités : une rencontre à risque

L'inconscient est bâti sur un certain nombre de schèmes conflictuels, qui le structurent. Le complexe d'Œdipe de l'enfant en est l'exemple même, avec ses mouvements d'amour et de haine à l'égard de chacun de ses parents.
Si ces schèmes ne trouvent qu'une confirmation modérée dans la réalité extérieure, ils voient se renforcer deux de leurs caractéristiques :
– ils se voient appuyés, comme authentifiés, et leur rôle structurant s'en trouve augmenté d'autant ;
– mais ils se voient en même temps inhibés et rejetés, et leur réalisation n'est pas effective : leur place de fantasmes s'en trouve renforcée et ils ne sont que des fantasmes.
Si la réalité extérieure vient se mouler à ces schèmes, par contre, cette dernière ne devient plus discernable du monde interne, celui des fantasmes. Les conséquences négatives de cet état de fait peuvent êtres immenses pour le psychisme. Celui-ci, en effet, n'est alors plus capable de distinguer l'intérieur (« ce qui se passe dans la tête ») et l'extérieur (la réalité)

Exemple : **le complexe d'Œdipe.**
Si les parents répondent à leurs enfants par un amour inconditionnel mais tout de même minoré par une non-érotisation et par des moments où ils ne sont plus disponibles pour eux, en particulier afin de pouvoir se consacrer à leur vie de couple, ils se placent dans le premier cas de figure : « Tu m'aimes, je t'aime, mais pas de façon infinie. Ce souhait œdipien que tu as de me posséder totalement, je n'y répondrai pas. Je me consacrerai, en amour, à ton autre parent et non à toi-même. » L'enfant, ainsi, développe son monde fantasmatique et, de ce fait même, la conviction d'avoir un monde interne à lui, qui lui appartient en propre et qui, en

bref, fonde son individualité. Chacun aime l'autre mais chacun peut aussi s'isoler en lui-même ; chacun peut avoir le désir inconscient de se confondre avec l'autre et d'avoir une relation sexuelle avec lui, mais cela ne se réalise pas.
Si, par contre, le parent vient proposer à l'enfant de rencontrer directement son fantasme, alors la frontière monde interne-monde externe s'évanouit. Les conséquences pathologiques d'un tel état de fait peuvent être considérables. Pour certains, il peut s'agir d'épisodes délirants (ce qui est imaginé « dans la tête », soudain, est pris pour du réel). Pour d'autres, par exemple, il peut s'agir de dépressions. Pour illustrer cette dernière éventualité, on peut penser au cas de figure, banal, où un parent déprimé, consciemment ou inconsciemment, prend appui sur son enfant pour lui demander, à lui, l'enfant, de le guérir (l'enfant se voit demander, de par sa présence même, de par son dévouement, d'être le thérapeute de son parent malade). Alors, l'enfant concerné, du fait des mouvements agressifs fantasmatiques qu'il connaît envers le parent en question, qu'il connaît même toujours car ils font partie du « package » œdipien de tout un chacun (amour envers les deux parents, mais haine aussi), va ressentir qu'il y a là une collusion entre le monde interne et le monde externe. À savoir : « Cette dépression que je vois là, dehors, dans la réalité de mon parent malade, vient épouser le schéma intérieur des fantasmes agressifs que je nourris à son égard. » Donc : « La dépression de mon parent provient réellement du fait que j'ai eu des intentions agressives envers lui. Que puis-je faire ? L'aider par mon comportement réel (par ma présence, mon dévouement, quitte à ne plus du tout me consacrer à moi-même) ? Ou bien me punir d'avoir déclenché cette souffrance en lui, et ce en m'agressant psychiquement moi-même, ce qui générera par culpabilité le sentiment puissant de ma propre dépression ? »

– Ouais, c'est plus clair comme ça, dit Philémon. Mais, où veux-tu en venir à propos du *Voyage*?

– Patience, moussaillon! Voici la théorie dite. Et en ce qui concerne notre *Voyage*, ce que je voulais vous montrer, c'est qu'on y est en terre très œdipienne. D'un côté, Axel veut supplanter l'oncle dans la connaissance de la Terre, de la femme, de la mère. Mais, de l'autre, la dimension d'interdit, si importante, est omniprésente dans le roman.

– Tu nous développes un peu ça? suggéra Gladys.

– Fastoche, c'est un leitmotiv du livre. Quitte à nous répéter quelque peu, revenons-en tout d'abord au fameux fauteuil du professeur, apparemment un détail dans le livre mais, pourtant, à y regarder de plus près, un détail riche de sens symbolique:

> Mon oncle seul occupait ma pensée. *Il était enfoui dans son large fauteuil garni de velours d'Utrecht*, et tenait entre ses mains un livre qu'il considérait avec la plus profonde admiration…
> « Eh bien! me dit-il, tu ne vois donc pas? Mais c'est un trésor inestimable que j'ai rencontré ce matin en furetant dans la boutique du juif Hevelius » (p. 13, mes italiques).

Portons-nous un peu plus loin:

> Au bout d'une heure mes géodes étaient étagées avec ordre. Je me laissai aller alors *dans le grand fauteuil d'Utrecht*, les bras ballants et la tête renversée (p. 28, mes italiques).

Suit l'épisode que vous connaissez et au cours duquel Axel voit la négresse voluptueuse remplacer, par carbonisation, la naïade nonchalamment étendue qui est sculptée sur sa pipe au « long tuyau courbe »... J'en profite pour vous mentionner à nouveau qu'apparaît alors cette notation de Verne, importante :

> De temps en temps, j'écoutais si quelque pas retentissait dans l'escalier. Mais non. Où pouvait être mon oncle en ce moment ? (p. 28).

... mais j'y reviendrai plus tard. Pour le moment, gardez-la simplement en mémoire car je poursuis tout d'abord mon développement. Succède ainsi immédiatement à la naïade la découverte par le neveu du sens du cryptogramme. En s'éventant avec le manuscrit, il comprend qu'il faut le lire à l'envers (p. 29) pour en découvrir la signification. Puis le professeur rentre chez lui (p. 31), obsédé par ledit manuscrit. L'audacieux neveu, ce grand découvreur, va-t-il le laisser dans l'ignorance ? Il hésite :

> Vraiment il me fit pitié (p. 32).

Puis il sent la vie entière du professeur entre ses mains :

> « Non, non, répétai-je, non, je ne parlerai pas !... il risquerait sa vie. Je me tairai ; je garderai ce secret dont le hasard m'a rendu maître ! Le découvrir, ce serait tuer le professeur Lidenbrock... » (p. 33).

Que faire ? Céder à la pitié ? Ou bien laisser le professeur s'aventurer vers la mort ? L'enjeu inconscient, devant ce dilemme, est en tout cas que le neveu est devenu le maître du destin du professeur et qu'il a même désormais un pouvoir de vie et de mort sur lui (du moins, avoir supplanté l'oncle sur les chemins de la connaissance le confronte-t-il à ce fantasme). Il ne peut supporter une telle charge morale et il finit par donner la clef du manuscrit à son oncle. D'où la scène déjà citée, celle où l'oncle bondit, prend sa tête à deux mains, jongle avec ses précieuses géodes et finit « comme un homme épuisé par une trop grande dépense de fluide » par retomber « dans son fauteuil » (p. 37). Revoilà donc le fameux fauteuil rendu à son légitime propriétaire !

– Ce que tu interprètes comment, mon chéri ? me demanda Marie.

– De la manière la plus simple du monde, mon grand amour. Ce fauteuil est une possession du professeur. Il a une valeur maternelle ; il est en effet le lieu, la coque dans laquelle on se love, dans laquelle « on se retrouve soi-même ». Or voici que, le professeur parti, le neveu s'en empare pour y rêver voluptueusement. Voler le fauteuil, c'est ainsi à la fois dérober au professeur sa propriété et la mère. On comprend que ceci ne puisse se faire sans crainte, et non sans guetter les bruits du retour de l'usurpé, comme je vous le mentionnais il y a un instant. C'est là une vigilance qui traduit et signe la culpabilité d'Axel et l'interdit œdipien : en s'emparant du fauteuil du professeur, il lui vole symboliquement le pouvoir sexuel et la clef de la connaissance de la mère. Ou : « Tu ne voleras point le fauteuil de ton oncle ni sa femme ! » C'est à ces détails, je vous le dis en vérité, que l'on voit que complexe d'Œdipe il y a. S'ensuit que, s'étant emparé fantasmatiquement de son bien, et comme il ressent de ce fait le sentiment d'avoir eu la victoire sur lui, le neveu prend « pitié » de son oncle.

Il le sent entre ses mains au point où il pourrait provoquer sa mort. C'en est trop pour lui ; il finira par redonner à l'aïeul le pouvoir dont il s'est emparé un instant, c'est-à-dire la clef du secret. La clef :

> « Eh bien ! cette *clef*?
> – Quelle *clef* ? La *clef* de la porte ?
> – Mais non, m'écriais-je, la *clef* du document !... »
> Oui, cette *clef*!... le hasard !... (p. 36, mes italiques).

A-t-on assez compris qu'il s'agit ici d'une clef ? Jules Verne aurait-il dû insister encore plus ? Et une clef, ça symbolise... ?

– Le pénis qui pénètre et ouvre la femme ! Je te vois venir ! Sacré Achille-Édouard ! me lança Philémon.

– Hé oui, mais c'est bien sûr ! La connaissance est ici assimilée à celle de la science, de la Terre, de la femme. La clef du savoir ouvre tous ces domaines d'un même mouvement. Philémon a raison. C'est de désirs qu'il s'agit et, en terre d'Œdipe, ceux-ci passent par la rivalité fils-père (oncle). Ainsi le neveu veut-il s'emparer des « pouvoirs d'ouverture » du professeur et, en même temps, il s'interdit de les lui prendre en entier. Il lui restitue donc pouvoir, savoir, clef et fauteuil. Désirs de puissance et inhibition de la puissance chez Axel : un dilemme que l'on voit apparaître tout du long du roman.

– Ah ! s'exclama Gladys. Moi je le trouvais plutôt courageux, ce garçon, et même plutôt désinhibé.

– Par certains côtés, effectivement, il l'est. Mais il est aussi bien peureux. Et pour saisir le pourquoi de cette chose, il faut accepter de comprendre ainsi la situation psychologique proposée : en apparence, l'oncle est fougueux et le neveu poltron. À ce dernier échoit la partition de celui qui, sans cesse, veut freiner l'aventure. Or, c'est à Axel, qui narre le récit à la première personne, et par les yeux duquel nous voyons le *Voyage* se dérouler, que Jules Verne nous invite à nous identifier. Comme il nous le montre timoré, il nous amène de la sorte à penser de nous-mêmes, par la médiation de son personnage : « Je suis ce héros qui ne veut pas aller de l'avant, qui n'ose pas aller au fond de la Terre… et de la femme. »

– Alors, comme ça, tu veux dire qu'Axel freine sans cesse les initiatives du professeur pour ne pas avoir à endosser la responsabilité de son propre « désir de pénétrer », ni du *tutti quanti* de ses audaces, proposa Philémon. Si je te suis bien, le professeur ne constituerait qu'un faire-valoir, qu'un porte-parole de désirs qui, en réalité, appartiennent à Axel lui-même ; mais lorsque ce dernier les voit incarnés par son oncle il est pris d'un mouvement de culpabilité et veut les inhiber…

– Et *tutti quanti*, c'est bien ainsi que le roman se présente à nous. Il exalte nos sentiments de rivalité avec le père, nos audaces, puis il nous innocente de nos propres désirs œdipiens en nous faisant croire que nous – par le truchement d'Axel – ne désirerions rien, tandis que le professeur, lui, un père fantasmatique à nos yeux, voudrait tout. Et, ce faisant, Axel peut aller de l'avant tout en se faisant croire à lui-même qu'il n'est ni audacieux ni empli d'ambition. Voulez-vous des preuves ? Les voici :

> … mon caractère un peu indécis… (p. 7)

nous dit Axel pour se décrire lui-même. Et comment réagit-il à l'annonce du départ ?

> « Nous partons, répétai-je d'une voix affaiblie.
> – Oui, après-demain matin à la première heure. »
> Je ne pus en entendre davantage, et je m'enfuis dans ma petite chambre (p. 52).

Bref, il n'est d'étape du *Voyage* au cours de laquelle le neveu ne fasse part de ses hésitations et où ce ne soit à l'oncle que revienne le devoir d'incarner la pulsion d'aller de l'avant. Ainsi, nous verrons un peu plus loin comment, sur une certaine église danoise, c'est encore l'oncle qui imposera un « Montons... » lorsque Axel craindra le vertige (p. 61). Ou encore, lors de l'épisode où il se meurt de soif, Axel propose de renoncer à aller plus loin (p. 148), une option que refuse le professeur. Enfin, quand l'oncle veut forcer le destin, le neveu prône la modestie :

> « ... nous verrons qui l'emportera de l'homme ou de la nature !...
> – Écoutez-moi, lui dis-je d'un ton ferme. Il y a une limite à toute ambition ici-bas... » (p. 247).

Il faut en fait attendre la page 268 pour que la dynamique s'inverse. À ce moment-là, nos héros ont déjà croisé l'homme préhistorique, le dompteur géant de mastodontes et ont retrouvé le poignard d'Arne Saknussemm. Les retrouvailles avec ces ancêtres masculins, mythiques et préhistoriques, visiblement, ont fini de rassurer Axel et, dès lors, inspiré par l'exemple de leurs force, résistance et bravoure, le voici soudain empli d'une fougue brûlante. Ainsi s'exprime l'Axel nouveau :

> « En avant, en avant ! » m'écriai-je.

> Je m'élançais déjà vers la sombre galerie, quand le professeur m'arrêta, et lui, l'homme des emportements, il me conseilla la patience et le sang-froid (p. 269).

– Ma parole, Axel n'a plus peur des « sombres galeries » !
– N'est-ce pas, Philémon ! Et voici le mécanisme de cette métamorphose :

> L'âme du professeur avait passé tout entière en moi (p. 273).

Une génération a passé. Le neveu a fait sienne la fougue du vieux lion et le voici jeune lion à son tour, lui qui n'était qu'un timide lionceau jusque-là. À lui désormais de « donner le *la* », de dire « Montons… » et non plus au professeur ; à lui de décider de s'enfoncer de façon « déflagrante » dans ces « galeries ».
– Il est devenu fortiche !
– Tout juste, Marie… Je vous ai planté là le décor œdipien. Je passe maintenant à une autre des grandes composantes du récit.

Du besoin d'un bon appui homosexuel pour aller vers l'hétérosexualité

Je commençai par prendre une grande gorgée d'un café au lait mousseux, puis deux noix. Et je poursuivis :
– Là où nous en arrivons, l'oncle apparaît, on le voit, sous le jour d'un concurrent à dépasser et d'un aîné à remplacer dans le cœur de la mère, dans le fauteuil, dans la

Pénétrer les entrailles de la terre

conquête de la Terre. Or, il faut que je vous montre aussi que le lionceau ne pourra devenir grand à son tour qu'en ayant absorbé la force virile du vieux lion. Et où voulez-vous qu'il la prenne ? Je vous en pose la question…

– Sûrement auprès de ses modèles, proposa Gladys, c'est-à-dire des hommes qui l'entourent. Je suppose que nous nous identifions tous en priorité à nos proches.

– Hans aussi doit probablement l'influencer, compléta Marie.

– Je vois les choses comme vous. L'oncle est celui qu'il admire. Et à Hans, robuste, calme et sécurisant, il voue aussi une grande estime. À partir de ces deux personnages, effectivement, il doit forger son identité masculine. Hans est un personnage qui s'impose en tant que père protecteur : il est la force tranquille, réglée comme un métronome et toujours secourable. Son bras, à plusieurs reprises, sauve Axel. Et, s'il est prudent et sage, pour autant il ne refuse pas de se lancer dans l'aventure. Courage et calme sont donc ses qualités, celles qui marqueront Axel. Il est l'inverse de l'oncle par sa mesure et sa placidité, contraste qui fait même parfois un duo comique de ces deux personnages. Hans est en effet :

> … un homme de haute taille, vigoureusement découplé. Ce grand gaillard devait être d'une force peu commune. Ses yeux, percés dans une tête grosse et assez naïve, me parurent intelligents… De longs cheveux, qui eussent passé pour roux, même en Angleterre, tombaient sur ses athlétiques épaules… Tout en lui révélait un tempérament d'un calme parfait, non pas indolent, mais tranquille (p. 78 et 79).

– Un homme, un vrai ! s'écria Gladys.
– On peut dire ça. Et voyez maintenant le professeur :

> Représentez-vous un homme grand, maigre, d'une santé de fer, et d'un blond juvénile qui lui ôtait dix bonnes années de sa cinquantaine. Ses gros yeux roulaient sans cesse derrière des lunettes considérables ; son nez long et mince, ressemblait à une lame effilée...
> Quand j'aurai ajouté que mon oncle faisait des enjambées mathématiques d'une demi-toise, et si je dis qu'en marchant il tenait ses poings solidement fermés, signe d'un tempérament impétueux... (p. 9 et 10).

Autrement dit, le professeur, tel que le décrit Axel, prête à rire. Le neveu ne se prive d'ailleurs pas, en bon Œdipe qu'il est, d'essayer de le diminuer en décrivant ses failles, et en particulier des difficultés d'élocution qui en font la risée de ses étudiants. Mais il ne faut pas croire pour autant qu'Axel n'admire pas son oncle, loin s'en faut. Il le trouve au contraire « très fort » (p. 9) ; il nous explique que c'est un « véritable savant » (p. 8). Il incarne à la fois la menace (c'est un « redoutable maître », p. 7), la colère (p. 7), la tyrannie (p. 31), mais il est aussi un objet d'admiration, un homme, rappelons-le, « magnifique d'audace, de joie et de conviction » (p. 37) aux yeux de son neveu. De plus, réciproquement, Axel se sait aimé de lui :

> ... tout en s'y prenant d'une façon un peu brutale, celui-ci [le professeur] ne m'en aimait pas moins (p. 11).

Autrement dit encore, il n'est pas étonnant qu'Axel, s'identifiant à lui, souhaite revêtir à son tour l'habit du savant minéralogiste. C'est ce qu'il nous confie :

> ... En ma double qualité de neveu et d'orphelin, je devins son aide-préparateur dans ses expériences. J'avouerai que je mordis avec appétit aux sciences géologiques ; j'avais du sang de minéralogiste dans les veines, et je ne m'ennuyais jamais en compagnie de mes précieux cailloux (p. 11).

Et, si vous me permettez de faire une grande enjambée dans le roman, je vous rappelle que le neveu finira par tout à fait s'identifier à celui qui, faute de père vivant, de fait, incarne, à sa place, la paternité à ses yeux : « L'âme du professeur avait passé tout entière en moi » (p. 273), avons-nous déjà vu.

– Et comment verrais-tu que s'effectue le processus d'imprégnation du neveu par le professeur ? demanda Philémon en se choisissant une datte.

– Il s'effectue comme se font les identifications masculines. C'est-à-dire que ce que veut le neveu, c'est avoir une aussi grosse et aussi admirable... « pine » que papa-oncle ! Pour ce faire, il va devoir la fréquenter assidûment, cette « pine » avunculaire, et en particulier par l'intermédiaire de tout ce qui, symboliquement, représente la puissance phallique de Lidenbrock : son statut de savant, c'est-à-dire de celui qui sait les secrets (de la nature, de la sexualité...), ou bien encore sa volonté, sa « santé de fer » (p. 9), ou même encore... son nez, « long et mince... » et ressemblant à « une lame effilée » (p. 9) ! Et il faudra bien qu'Axel arrive à le mettre en lui, ce phallus de l'oncle.

– Tu veux dire qu'Axel est homo ! Et le professeur avec ? Mais tu sais qu'on ne s'ennuie pas avec toi ! s'exclama Philémon. Jules Verne, s'il nous entend, doit se retourner dans sa tombe plus vite que la mèche d'une Black et Decker !

– Toujours poétiques tes comparaisons ! Un vrai compagnon de la Pléiade, voilà ce que tu es, Philémon. Oui, il est « homo », si tu veux dire les choses comme ça. Mais pas plus, ou pas moins, que toi ou moi. La psychanalyse nous montre en effet que nous sommes tous pétris d'identifications et de désirs hétéro- autant qu'homosexués. Alors, pour « devenir le professeur », l'amour filial d'Axel passe par des scènes où ils « cultivent le pénis ensemble ».

– Voyez-moi ça ! dit Gladys. « Ils cultivent le pénis ensemble » ! Et elle pousse où, cette herbe-là ?

– Si vous le voulez bien, je vais exposer une série de scènes où ceci est très évident :

a) Lorsque le sens du manuscrit lui devient accessible, nous avons vu comment l'oncle est pris d'une frénésie érectile et éjaculatoire devant le neveu, qui trouve alors son oncle, répétons-le encore une fois, « magnifique » (p. 37) : vénération du phallus.

b) Ensuite, les épisodes de « rapprochements péniens », appelons-les ainsi, commencent à bord de l'*Ellenora*, le bateau qui les mène d'Allemagne au Danemark :

> **... nous étions à bord et propriétaires de deux couchettes étagées dans l'unique chambre du bateau... (p. 58).**

– Alors là, je t'arrête, ce n'est pas parce que les hasards d'un voyage vous rendent ainsi voisins que...

– … Tu as raison, Philémon. Je ne dis pas qu'il est ici sous-entendu que l'oncle et le neveu « couchent » alors ensemble au sens le plus étroitement sexuel du terme. Mais, au sens fantasmatique, c'est bien d'une fréquentation intime qu'il s'agit, et donc d'une étape participant à la constitution d'une dose suffisante de phallus avunculo-paternel intégrée en lui par Axel, ou du moins d'une touche supplémentaire allant en ce sens. Nous sommes confrontés, dans ce texte, à un faisceau d'arguments qui vont dans cette même direction.

– Toujours la convergence !

– Toujours la convergence, Philémon.

c) L'air du roman est en effet saturé de représentants sexuels. Voici Axel et Otto en train de se promener à Copenhague :

> [L'oncle, tout concentré sur son voyage] ne vit rien… ni, dans un assez beau parc, le château bonbonnière de Rosenborg, ni l'admirable édifice *Renaissance de la Bourse*, ni son *clocher* fait avec les *queues enlacées* de quatre dragons de bronze… (p. 60 et 61, mes italiques).

Que demande le peuple ?… « queues enlacées » et « renaissance de la bourse » : en faut-il plus pour vous croquer le paysage ? Mais voici que, de plus, l'oncle aperçoit au loin un clocher situé dans l'île d'Amak, le quartier sud-ouest de Copenhague. Et alors se situe ce que j'appellerai vraiment la « grande leçon d'érection » de l'oncle faite au neveu.

d) L'escalade de l'église de Vor-Frelsers représente à ce titre un véritable morceau d'anthologie :

> Cette église n'offrait rien de remarquable. Mais voici pourquoi son clocher assez élevé avait attiré

> l'attention du professeur : à partir de la plate-forme, un escalier extérieur circulait autour de sa flèche, et ses spirales se déroulaient en plein ciel.
> « Montons, dit mon oncle.
> – Mais, le vertige, répliquai-je.
> – Raison de plus, il faut s'y habituer » (p. 61).

L'oncle, plusieurs jours de rang, va obliger le neveu à escalader cette église jusqu'à son sommet. Ne présente-t-elle vraiment « rien de remarquable », comme le prétend Axel ? Oh, que si ! Son clocher précisément qui, de par sa forme, l'est bel et bien, lui, remarquable. Il constitue en effet indubitablement la représentation, à peine voilée, d'un pénis géant. La tour, avec sa plate-forme circulaire, figure le membre viril, cylindrique, et le bourrelet du prépuce ; et l'étage supérieur en est le gland, une partie qui se termine par une « boule » (p. 63), comme d'ailleurs le montre bien l'illustration de Hetzel (p. 62).

Lors de cette escalade, le neveu va-t-il conquérir sa virilité ? Il commence par en douter :

> « Je ne pourrai jamais !... » (p. 63).

L'oncle le pousse :

> « Serais-tu poltron, par hasard ? Monte ! » (p. 63).

Et ainsi, pendant cinq jours consécutifs, les escalades vont se poursuivre et les « leçons d'abîme » (p. 63), finalement, porter leurs fruits. En effet, Axel, dont les jambes chancelaient au début, lui qui grimpait sur les genoux

Le clocher-phallus

et sur le ventre (p. 63), va faire des progrès dans l'art « des hautes contemplations » (p. 64), c'est-à-dire pouvoir vaincre le vertige.

Traduisez tout ceci dans le langage de l'inconscient et vous obtiendrez le texte suivant : « Doutant initialement de sa capacité érectile, mais se voyant celle-ci enseignée par son oncle, le neveu, peu à peu, l'acquiert à son tour. D'agenouillé, il se relève progressivement en suivant son exemple. Autrement dit, l'oncle est un pénis érigé ; le neveu, à son contact, devient aussi un pénis érigé ; tous deux montent ensemble... sur un pénis érigé géant, celui du clocher. » Jules Verne nous propose donc ici une véritable « transe phallique ». Le résultat en est que, ainsi armés, ainsi dotés, ces hommes vont pouvoir par la suite oser affronter les gouffres les plus béants et les plus sombres de la terre, de la femme, appuyés qu'ils sont l'un sur l'autre... comme autant de « queues enlacées » !

e) La gourde du professeur représente enfin assez directement le moyen de cette transmission de la force virile de l'aîné au plus jeune. Le mieux est de s'en référer au passage suivant, qui concerne l'épisode déjà cité où Axel meurt presque de soif :

> ... l'eau fit tout à fait défaut à la fin du premier jour de marche. Notre provision liquide se réduisit alors à du genièvre, mais cette infernale liqueur brûlait le gosier, et je ne pouvais même en supporter la vue... nous arrivâmes à demi morts au point de jonction de deux galeries...
> Au bout de quelque temps, mon oncle s'approcha de moi et me souleva entre ses bras :
> « Pauvre enfant ! » murmura-t-il avec un véritable accent de pitié. Je fus touché par ces

> paroles, n'étant pas habitué aux tendresses du farouche professeur...
> Je le vis alors prendre la gourde suspendue à son côté. À ma grande stupéfaction, il l'approcha de mes lèvres :
> « Bois », fit-il.
> Et relevant sa gourde, il la vida tout entière entre mes lèvres. Oh ! jouissance infinie ! Une gorgée d'eau vint humecter ma bouche en feu, une seule, mais elle suffit à rappeler en moi la vie qui s'échappait (p. 147 et suiv.).

Ainsi l'oncle avait-il gardé une infime réserve d'eau pour son neveu.

– Que vois-tu dans ce passage ? me demanda Marie.

– J'y vois ce qui y est écrit. À savoir que l'oncle, farouche, va prodiguer des « tendresses » à son neveu en vidant sa « gourde entière dans sa bouche », ce qui va procurer audit neveu une « jouissance infinie ». Seules les saintes nitouches, une fois de plus, peuvent passer à côté du sens réel de ces mots, tu en conviendras.

– Oh ! s'exclama Gladys, un peu effarouchée. Ainsi Axel prendrait sa force à l'urine de sa Terre-Mère et au sperme de son oncle ! Car je suppose que c'est ce qui sort de la « gourde-scrotum » de l'oncle, n'est-ce pas ? C'est vraiment *shocking*, ta psychanalyse !

– Ne sont-ce pas là les mots mêmes du texte ?

– Ils sont, répondit-elle. Il faut l'admettre.

– Il n'y a, à vrai dire, guère le choix. Les liquides du corps, tout comme ses orifices, ne sont pas en nombre infini et donc « il faut faire avec ce que l'on a ». Aussi, cette ingestion symbolique par le neveu du sperme de son oncle constitue-t-elle à la fois une vectorisation simple et évidente, dans ce roman initiatique, de la transmission de la puissance (intellectuelle, virile, identitaire) d'un aîné à un cadet, en particulier par le don de sa « sève ». Et j'appuierai d'ailleurs encore cette hypothèse par une digression ethnographique. Il existe en effet une coutume océanienne qui met en évidence comment l'homme imagine volontiers acquérir la force de son aîné en buvant, telle une potion magique, son sperme. C'est ce qui se pratique dans une tribu de Nouvelle-Guinée où les garçons, âgés de sept à dix ans, doivent pratiquer des fellations sur leurs aînés pour boire leur sperme afin d'acquérir force et croissance[3]. Et, ce qui est remarquable, c'est que cette même population se débrouille pour définir cet acte de fellation comme, somme toute, non homosexuel. Il ne s'agit pas là, en effet, officiellement du moins, d'une attirance pour les hommes mais, disons simplement, d'une « transmission du relais pénien ».

– Du « sexuel non sexuel » ! s'écria Philémon.

– C'est un peu ça. En tout cas, ce qui est passionnant dans cet exemple océanien, c'est qu'il reproduit au plus près ce qui se passe dans le *Voyage* : une culture de relation homosexuelle, sans que celle-ci ne soit déclarée en tant que telle et même, dirais-je, surtout pas ! Le refoulement se doit en effet de masquer la dimension de jouissance. Ainsi l'oncle est-il en général bien rude avec son neveu ; et s'il lui donne de la « tendresse », que l'on n'aille pas croire que c'est par plaisir. Ah, ça non ! C'est par devoir, pour sauver ce pauvre Axel qui se meurt ! N'est-il pas ainsi prouvé par Jules Verne que, dans

3. Freeman D.M.A., « Transcultural Perspectives on Eating Disorders », in *The Eating Disorders*, New York, PMA Publishing Group, 1988, p. 195 à 204.

de telles conditions, on n'est pas ici « entre femmelettes » ? On « vide sa gourde » dans la bouche de l'autre, certes, mais pas par plaisir : c'est parce qu'il souffre, parce que la mort menace… J'en viens maintenant à mon point suivant.

Appui homosexuel et clémence du Surmoi

Je poursuivis :

– Ce neveu est bien chanceux d'avoir un tel oncle. Et de pouvoir s'identifier à lui avec une certaine sérénité. N'oublions pas, en effet, qu'Axel a tué son père.

– Quoi ! s'écria Philémon, en s'étranglant. Ça n'est pas vrai ! Dans le livre, il est orphelin mais il n'est jamais indiqué qu'il a tué son père. D'où tires-tu cela ?

– Je vois que tu es un lecteur attentif ! Je n'en attendais pas moins de toi comme réaction. Merci donc de répondre ainsi à ma remarque car tu mets bien l'accent sur ce que je veux dire. Bien entendu, Axel n'a pas tué son père *en réalité* et cela ne figure en nul endroit du livre mais, par contre, comme son père est *en réalité* mort, Axel a l'impression que ce sont des *fantasmes* œdipiens agressifs à son égard qui ont causé cette mort *effective*.

– Collusion réalité-fantasme !

– Comme tu le dis, Gladys. Rappelez-vous de mon résumé de tout à l'heure. D'où l'inhibition d'Axel justement, que je vous ai déjà soulignée : comme il a enregistré lors du décès de ses parents que s'il vivait, croissait, allait de l'avant, ceux-ci en *mourraient réellement*, il préfère mettre une sourdine à ses initiatives. C'est pour cela qu'il a, dans le roman, le visage du timoré, du peureux, de l'inhibé. Et c'est pour cela, ajouterai-je, qu'Axel a bien de la chance, lui qui va pouvoir tenter de « rejouer ses cartes » avec Lidenbrock, car celui-ci a une qualité essentielle, démontrée par quelques mots semés ici ou là dans le roman, mais des petits mots très importants.

– Et cette qualité, c'est… ? interrogea Gladys.

Dehors la pluie redoublait et de lourds nuages noirs amoncelés assombrissaient la journée. On se serait même soudain cru dans un phare du Finistère et non plus à Nantes. Nous dûmes forcer l'intensité de l'halogène.

– C'est celle de savoir se montrer un père, ou du moins un personnage paternel, qui accepte et encourage les progrès d'Axel. Si cela n'avait pas été le cas, ce dernier aurait peut-être été broyé par un remords né du sentiment inconscient suivant : « Si mon oncle-père ne veut pas que je progresse, c'est qu'il craint que, le dépassant, je lui fasse réellement du mal, comme j'en ai déjà fait à mon père. » Or ici l'oncle, régulièrement, fait la courte échelle à son neveu, ce qui pour ce dernier signifie : « J'avance mais, pour autant, cela ne fait pas de mal à mon oncle. J'en ai la preuve, donnée par chacun de ses encouragements. Il ne m'en veut nullement de progresser. Bien au contraire, il le souhaite lui-même et m'en donne des preuves répétées. Mon fantasme de meurtre se voit ainsi détrompé et donc pacifié. »

– Quels sont ces petits mots si importants ? fit Marie.

– Nous allons reparler à leur propos de passages que je vous ai déjà cités. Ils commencent dès les pages 23-24. Axel et l'oncle sont en train d'essayer de déchiffrer le mystérieux parchemin et vous vous souvenez comment l'oncle dit au neveu de jeter une phrase, au hasard mais écrite verticalement, sur le papier. Et, sans s'en rendre compte, Axel d'écrire :

> *Je t'aime bien, ma petite Graüben!* (p. 24, en italique dans le texte).

Et voici ce qui s'ensuit:

> « Hein! » fit le professeur.
> Oui, sans m'en douter, en amoureux maladroit, j'avais tracé cette phrase compromettante!
> « Ah! tu aimes Graüben! reprit-il machinalement. Eh bien, appliquons mon procédé au document en question! »
> Mon oncle [...] oubliait déjà mes imprudentes paroles... (p. 25).

Autrement dit: l'oncle ne s'offusque pas plus que cela de l'état amoureux d'Axel. Ou encore: il accepte que son neveu puisse désirer une femme et connaître une vie amoureuse, c'est-à-dire qu'il « devienne grand » (et qu'il ne reste plus simple lionceau). Dans le texte, ces quelques mots sont banalisés et, nous est-il dit, à peine le professeur les a-t-il prononcés distraitement qu'il s'absorbe à nouveau dans la grande affaire que représente pour lui avant toute autre considération le manuscrit. La réalité psychique sous-jacente que recouvrent ces quelques paroles, sur lesquelles le lecteur passe sans s'attarder, est infiniment plus importante qu'il peut y paraître au premier abord.

– Décidément, l'art de Verne tient bien à cela: savoir faire passer le message psychologique en quelques mots! Savoir vous le glisser dans l'inconscient sans en avoir l'air!

– Je ne te le fais pas dire, Philémon. Car ce que l'oncle dit, en une simple phrase apparemment négligeable et secondaire mais en réalité primordiale, c'est quelque chose comme : « Tu veux vivre ta vie. Je l'accepte. Va de l'avant et je te soutiendrai dans tes entreprises. » Et dès lors, nous, lecteurs, en quelques mots, sommes informés que nous pourrons parcourir ce roman en toute quiétude car le héros – nous-mêmes par procuration – en est béni par la puissance avunculo-paternelle. Qu'enregistrons-nous en effet à ce moment-là dans nos inconscients ? Ceci : l'oncle représente le Surmoi d'Axel ; ce Surmoi est bienveillant ; donc le destin d'Axel sera favorable car le Surmoi, du point de vue symbolique, c'est le destin, ce sont les puissances tutélaires qui, dans les cieux, veillent sur notre avenir. Ceux qui se sentent coupables se sentent touchés par la « fatalité » ; ceux qui se sentent dégagés de cette culpabilité se sentent « bénis des dieux ». Et Axel peut ainsi voir sa culpabilité œdipienne de fils ayant « tué » son père « détoxiquée » par son nouveau père, Otto Lidenbrock, qui ne manque pas de lui glisser des messages encourageants qui vont, les uns après les autres, pouvoir diluer sa culpabilité, et donc son inhibition.

Comment les choses vont de leur ordre « naturel » dans le Voyage

Je fis une nouvelle pause-café, puis repris :

– Par la suite, cette tendance des « petits mots » de l'oncle sera confirmée. À peine en effet Axel a-t-il communiqué la clef du manuscrit à son oncle que celui-ci l'en remercie généreusement, vous le savez :

> « Je n'oublierai jamais cela, mon garçon, et de la gloire que nous allons acquérir, tu auras ta part » (p. 38).

Et encore :

> « Parle mon garçon, ne te gêne pas. Je te laisse toute liberté d'exprimer ton opinion. Tu n'es plus mon neveu, mais mon collègue... » (p. 39).

Je sais que je me répète, mais ce sont là, vraiment, les petits cailloux blancs du récit. Les autres passages que j'ai déjà cités vont dans le même sens : la leçon de vertige sur le clocher à Copenhague tout autant que la gourde vidée sont des dons de soi de l'oncle à son neveu et une éducation faite d'encouragements à s'élever que l'aîné prodigue sans compter à son enfant. C'est cette éducation qui aidera ce dernier à aller dans le sens de l'autonomie et de la liberté, tout comme Graüben le lui annonce à un moment :

> « ... Ah ! cher Axel, c'est beau de se dévouer ainsi à la science ! Quelle gloire attend M. Lidenbrock et rejaillira sur son compagnon ! Au retour, Axel, tu seras un homme, son égal, libre de parler, libre d'agir, libre enfin de... » La jeune fille, rougissante, n'acheva pas... (p. 52 et 53).

La balistique du roman est en place, c'est celle d'une jeunesse joyeuse à qui l'on donne la possibilité de s'accomplir. C'est là encore une des clefs du succès jamais démenti du *Voyage*, celle d'un livre qui cultive l'optimisme. Cela tient en quelques lignes et est posé dès le début du livre : les choses vont bien se passer, c'est annoncé. Ainsi, même si la tempête devra y souffler fort – car il faut bien qu'aventures il y ait –, on s'y embarque dans de bonnes conditions et l'issue finale sera positive.

– On t'a compris, approuva Marie.

– *Heureux qui, comme Ulysse…*, commença à déclamer Philémon.

– *Heureux qui, comme Axel, a fait un beau voyage, ou comme cestuy là qui conquit la toison, et puis s'en est retourné, plein d'usage et de raison, vivre près de sa Graüben le reste de son âge!* Hé oui! Je conclus maintenant mon développement concernant l'acceptation par l'oncle des progrès de son neveu en vous rappelant encore un autre point du roman. Il se situe lorsque nos héros naviguent sur la mer Lidenbrock. Ils y découvrent un îlot (p. 228). Un geyser s'en élève:

> À mesure que nous nous approchons, les dimensions de la gerbe liquide deviennent grandioses. [...] toute la puissance volcanique se résume en lui [le geyser]. Les rayons de la lumière électrique viennent se mêler à cette gerbe éblouissante... (p. 229-230).

Et le professeur de baptiser (*sic*!) cet îlot du nom de son neveu:

> C'est le mot du professeur, qui, *après avoir baptisé* cet îlot volcanique du nom de son neveu, donne le signal de l'embarquement (p. 232, mes italiques).

Le père reconnaît, plus que jamais, la puissance du fils (concentrée en cet ardent îlot) et surtout il reconnaît ce fils puissant lui-même de par un baptême qui, par définition, revient à lui donner nom, c'est-à-dire identité et individualité reconnues.

En somme, dirais-je, dans le *Voyage*, les choses ne font que suivre un cours « naturel » dont voici les étapes :

a) L'oncle a nommé la mer(e) Lidenbrock ; il se l'est réservée, édictant en même temps un interdit la concernant à l'encontre d'Axel. Premier temps donc : un homme prend femme, un père édicte un interdit œdipien.

b) Un peu avant que l'on arrive à l'« îlot Axel » le combat de monstres aura eu lieu dans les flots de la mer Lidenbrock (p. 224), combat dont on peut dire qu'il figure la relation sexuelle des parents telle que l'enfant se la représente, c'est-à-dire comme un combat violent ayant lieu entre eux. Il existe un terme psychanalytique pour désigner cette représentation de la relation sexuelle entre deux parents telle que l'enfant se l'imagine : c'est la « scène primitive ». On trouve d'ailleurs d'autres « scènes primitives » dans le roman. Elles sont parfois extrêmement discrètes, sous leur masquage symbolique, telle par exemple celle qui consiste à décrire la maison d'Otto Lidenbrock ainsi :

> **La vieille maison penchait un peu, il est vrai, et tendait le ventre aux passants… l'aplomb de ses lignes laissait à désirer ; mais, en somme, elle se tenait bien, grâce à un vieil orme vigoureusement encastré dans la façade, qui poussait au printemps ses bourgeons en fleur à travers les vitraux des fenêtres (p. 11).**

– Ce qui signifierait selon toi… ?

– Oui, Gladys, tu l'as deviné : il s'agit ici, selon moi, d'une mère, la maison, et d'un père, l'arbre, vigoureux, empli de sève et la pénétrant. Un père, tu le vois, prêt à chacun de ses printemps à féconder la mère de son rapport quelque peu intrusif : encastré en elle, il pénètre même ses vitraux. Oh ! le coquin ! Et oh ! la coquine ! elle qui laisse ainsi le vigoureux tronc la pénétrer et qui, même, s'appuie sur lui !

Mais il existe aussi dans le *Voyage* d'autres « scènes primitives » plus transparentes et en particulier celle où l'ombre du soleil (un symbole paternel) vient lécher la cheminée centrale du cratère du Sneffels (l'ouverture vulvaire de la Terre-Mère). Au total, donc, deuxième temps : cet homme (le « père Lidenbrock ») et cette femme (la « mer-mère » Lidenbrock) ont un coït. Et, en tout cas, subtiles ou presque manifestes, ces scènes primitives ont pour effet d'ancrer le déroulement du roman dans un registre où les enfants naissent de deux parents différenciés, c'est-à-dire, au niveau inconscient, dotés de deux sexes différents. Suis-je en train de vous décrire une évidence (on naît d'un père et d'une mère qui n'ont pas le même sexe) ? Rien n'est moins sûr, vous le verrez plus loin[4]. Pour le moment, gardez simplement cette remarque en mémoire, voulez-vous, car je dois tout d'abord poursuivre mon développement sur ce « cours naturel » des événements.

c) Troisième temps : de cette union amoureuse parentale naît un enfant, c'est-à-dire celui qui doit être baptisé (cf. *supra*, le baptême de l'îlot Axel).

d) Puis cet enfant deviendra homme et, à ce titre, le collègue du professeur et le mari de la jeune femme. C'est le quatrième temps, celui de la maturité assumée. Et voici, de la sorte complété, le cycle « naturel » d'une vie d'homme.

Je fis silence et quelques applaudissements crépitèrent. Je méritais bien cet encouragement !

---

4. Voir chapitre 6.

La chaîne des générations, un appui existentiel

– J'en viens maintenant à un autre parmi les points essentiels du *Voyage*: celui de la « trilogie manuscrit-inscriptions-couteau d'Arne Saknussemm ». Ce dernier, vous le savez maintenant, est un des héros du roman et il y apparaît à plusieurs reprises. Tout d'abord on retrouve son manuscrit et sa signature est déchiffrée:

> « Arne Saknussemm ! s'écria-t-il [le professeur] d'un ton triomphant, mais c'est un nom cela, et un nom islandais encore, celui d'un savant du XVIe siècle, d'un alchimiste célèbre !
> « Ces alchimistes, reprit-il, Avicenne, Bacon, Lulle, Paracelse, étaient les véritables, les seuls savants de leur époque... » (p. 19 et 20).

Un ordre généalogique s'établit ainsi: le neveu a trouvé un père en son oncle; et Lidenbrock n'est pas sans se découvrir lui-même un père spirituel en la personne d'un Saknussemm dont l'ombre plane sur tout le *Voyage*.

Rendons-nous maintenant au fond du cratère du Sneffels, et ce juste avant que l'ombre du pic du Scartaris indique la cheminée qu'il faut choisir. Qu'y trouve-t-on ? La signature d'A.S. gravée dans la pierre (p. 119). Faisons un autre bond pour nous retrouver, cette fois, au fin fond de la Terre, lors de ce passage difficile durant lequel nos héros perdent confiance devant une boussole dont les indications sont devenues incompréhensibles (p. 265). Mais... ouf! la signature d'A.S. est gravée là encore (p. 267). Et pas n'importe où ! On l'a vu: juste à côté de son poignard, resté là depuis des siècles et pourtant à peine altéré par le temps.

Même si l'adversité se présente régulièrement devant eux, le guide spirituel continue donc à veiller sur eux. Il ne défaillit pas. L'ancêtre mythique veille au grain ! Sa dague et ses signatures en sont les preuves matérielles.

– Et tu vas nous dire que son poignard, c'est son phallus ! s'écria Philémon. Ah, ah ! ça ne m'étonnera pas ce coup-ci !

– Ainsi dis-je ! Et comment ! Tu l'as aisément deviné, nom d'un couteau suisse !

– *Non, non, non, Saknussemm n'est pas mort, car il bande encore !*

– Toujours ton fabuleux don poétique, Philémon ! Tu es un peu direct, mais il y a de ça. Écoutez ces lignes, elles sont capitales :

> (Lidenbrock :) « ... et je ne vois rien.
> (Axel :) – Mais je vois, moi, m'écriai-je, en m'élançant vers un objet qui brillait sur le sable.
> – Qu'est-ce donc ?
> – Ceci », répondis-je.
> Et je montrai à mon oncle un poignard couvert de rouille, que je venais de ramasser.
> « Tiens, dit-il, tu avais donc emporté cette arme avec toi ?
> – Moi, aucunement ! Mais vous...
> – Non, pas que je sache, répondit le professeur. Je n'ai jamais eu cet objet en ma possession. [...]
> – Est-ce donc l'arme de quelque guerrier antédiluvien, m'écriai-je, d'un homme vivant... ? Mais non ! Ce n'est pas un outil de l'âge de pierre ! Pas même l'âge de bronze ! Cette lame est d'acier... »

> Mon oncle m'arrêta net dans cette route où m'entraînait une divagation nouvelle, et de son ton froid il me dit :
> « Calme-toi, Axel, et reviens à la raison. Ce poignard est une arme du XVIe siècle, une véritable dague... Elle n'appartient ni à toi ni à moi, ni au chasseur, ni même aux êtres humains qui vivent peut-être dans les entrailles du globe !
> – Oserez-vous dire ?... quelqu'un nous a précédés !...
> – Oui ! un homme.
> – Et cet homme ?
> – Cet homme a gravé son nom avec ce poignard ! Cet homme a voulu encore une fois marquer de sa main la route du centre ! Cherchons, cherchons ! »
> [...] Entre deux avancées de roc, on apercevait l'entrée d'un tunnel obscur. Là, sur une plaque de granit, apparaissaient deux lettres mystérieuses, à demi rongées, les deux initiales du hardi et fantastique voyageur :
>
> · ᛆ · ᛋ ·
>
> « A.S. ! s'écria mon oncle. Arne Saknussemm ! Toujours Arne Saknussemm ! » (p. 266 et suiv.).

Il vaut la peine de lire le texte dans le détail ; voici l'« ode à A.S. » qu'entonne alors Lidenbrock :

> « Merveilleux génie ! s'écria-t-il, tu n'as rien oublié de ce qui devait ouvrir à d'autres mortels les routes de l'écorce terrestre, et tes semblables peuvent retrouver les traces que tes pieds ont laissées, il y a trois siècles, au fond de ces souterrains obscurs ! À d'autres regards que les tiens tu as réservé la contemplation de ces merveilles ! Ton nom, gravé d'étapes en étapes, conduit droit au but le voyageur assez audacieux pour te suivre et, au centre même de notre planète, il se trouvera encore inscrit de ta propre main. Eh bien ! moi aussi, j'irai signer de mon nom cette dernière page de granit ! » (p. 268).

Le neveu n'est d'ailleurs pas de reste pour réagir à son tour :

> ... et je me sentis gagné par l'enthousiasme que respiraient ces paroles. Un feu intérieur se ranima dans ma poitrine ! J'oubliais tout, et les dangers du voyage, et les périls du retour. Ce qu'un autre avait fait, je voulais le faire moi aussi...
> « En avant, en avant ! » m'écriai-je (p. 268 et 269).

– Attends, il n'y a pas un truc en psychanalyse qui s'appelle le « nom du père » ou quelque chose comme ça ? demanda Philémon.

– Si. Et c'est notre célèbre Jacques Lacan national qui a introduit cette notion. Que désigne-t-elle ? me demanderez-vous, impatients. Car c'est bien elle qui se trouve ici sollicitée : « ... mais c'est un nom cela... », comme dit Lidenbrock à ce propos (p. 19). Oui, un nom, et pas n'importe lequel, le « nom du père », comme tu viens de le dire.

En bref, cette notion désigne comment le père vient séparer symboliquement l'enfant de sa mère et faire que lui, l'enfant, ne soit plus l'objet d'une satisfaction totale pour elle – et réciproquement. Pour Lacan, il s'agit là de l'entrée dans le monde symbolique, dans celui du langage. En effet, le père dit alors la Loi, la règle (celle qui, avant toute chose, prohibe l'inceste) : « … l'enfant qui désire le contact permanent avec la mère, l'identification à la mère, va faire l'expérience des absences de celle-ci. Elle est absente parce qu'elle est avec le père, parce qu'intervient la Loi du père, parce que le père détient le phallus… Le dénouement de cette crise sera chez l'enfant l'aptitude à nommer la cause des absences de la mère, à nommer le père, et le nommant à intégrer sa Loi[5]. »

Jules Verne avait-il lu Lacan ? On serait tenté de le croire en lisant le *Voyage* si, bien sûr, leurs dates respectives ne rendaient cela impossible. N'y trouve-t-on pas en effet cette prééminence du verbe et du nom ? Le manuscrit, les signatures successives d'A.S. vont bien en ce sens en tout cas. Et, une fois sous terre, le professeur (celui qui enseigne, un professionnel de la Loi symbolique en somme) ne passe-t-il pas son temps à mettre des noms sur les éléments et les territoires vierges et illimités qu'il découvre : le « port Graüben » (p. 209) et les déjà vus « Hans Bach » (p. 161), « îlot Axel » et « mer Lidenbrock » ? Pas étonnant que, pour conclure cette série, on trouve le « cap Saknussemm » (p. 268) ! Donc tu vois, Philémon, je vais dans ton sens et j'appuie ta remarque sur le « nom du père ».

– Je deviens psychanalyste, ma parole !

– Ce filon transgénérationnel (le père et le père du père) mérite encore d'être creusé car, en ce qui le concerne, le

5. Fages J.-B., *Comprendre Lacan*, Paris, Dunod, 1997, p. 18 à 20.

Voyage nous comble. En effet, trois pères symboliques, ou trois grands-pères, ou trois aïeux supplémentaires, comme on le voudra, se présentent encore en filigrane des portraits de nos héros. J'ai nommé : le « juif Hevelius », le « Caucasique » de la page 254 et le « berger géant » de la page 262. Tous sont importants.

– Je ne me souviens pas bien de ces personnages, susurra Gladys, m'invitant à en dire plus.

– Je te les resitue donc, délicieuse fille de l'Écosse.

La présence d'**Hevelius** tient, en apparence, en une simple demi-ligne :

> « Eh bien ! me dit-il, tu ne vois donc pas ? Mais c'est un trésor inestimable que j'ai rencontré ce matin en furetant dans la boutique du juif Hevelius » (p. 13).

Ce trésor, c'est un livre, le *Heims-Kringla* de Snorre Turleson, un fameux auteur islandais du XIIe siècle, nous est-il dit page 14, un récit qui décrit la chronique des princes norvégiens qui régnèrent en Islande. Je veux voir en cet Hevelius un personnage important en ce qu'il n'est pas chrétien comme le sont visiblement Axel et Lidenbrock (exemple : Axel, perdu dans son cul-de-sac, a le réflexe de prier le « Dieu [de la] Providence », p. 77). À ce titre, Hevelius constitue à la fois un père (l'Ancien Testament étant la source du Nouveau) et en même temps un élément hétérogène à l'histoire des héros.

– Dis-nous-en plus, demanda Marie.

– Volontiers : de ce fait donc, la connaissance vient ici de l'extérieur du groupe chrétien. Autrement dit, si en voulant voir le centre de la Terre-Mère il y a risque de la pénétrer de façon incestueuse, ce risque est tempéré par l'emprunt fait à un groupe exogamique, le groupe juif. Car qui dit exogamie dit contraire de l'inceste.

– Et en même temps pas tout à fait puisque les juifs seraient, à te suivre, les pères des chrétiens. Et, historiquement parlant, les premiers chrétiens étaient d'ailleurs tous juifs. Donc, ils sont de la même famille, de la même souche.

– Je te l'accorde, Philémon. Le *Voyage*, en cela, reste ambigu. Mais je dois tout de même te dire que je vois mon hypothèse prolongée par le propos vernien lui-même. Ainsi, lorsque, arrivé en Islande, le professeur interroge son hôte, M. Fridriksson, sur les manuscrits de la bibliothèque de Reykjavik et en particulier sur le fait de savoir s'ils contiennent des textes d'Arne Saknussemm, il s'entend répondre :

> « Arne Saknussemm ! répondit le professeur de Reykjavik. Vous voulez parler de ce savant du XVIe siècle, à la fois grand naturaliste, grand alchimiste et grand voyageur ?
> – Précisément.
> – Une des gloires de la littérature et de la science islandaises ?
> – Comme vous dites.
> – Un homme illustre entre tous ?
> – Je vous l'accorde.
> – Et dont l'audace égalait le génie ?...
> – Eh bien, demanda-t-il [Lidenbrock], ses ouvrages ?
> – Ah ! ses ouvrages, nous ne les avons pas.
> – Quoi ! En Islande ?
> – Ils n'existent ni en Islande ni ailleurs.
> – Et pourquoi ?

> – Parce que Arne Saknussemm fut persécuté pour cause d'hérésie, et qu'en 1573 ses ouvrages furent brûlés à Copenhague par la main du bourreau.
> – Très bien ! Parfait ! s'écria mon oncle, au grand scandale du professeur en sciences naturelles.
> - Hein ? » fit ce dernier (p. 75).

On voit donc que le fait qu'A.S. ne soit pas en odeur de sainteté n'est pas pour déplaire à notre professeur. Ainsi, me semble-t-il, la place d'A.S. est complexe. D'un côté, il est mis hors du groupe, dans le même sac qu'Hevelius qui, juif, est donc, par définition, un hérétique : de ce fait, ces deux personnages favorisent une pensée « non endogamique », c'est-à-dire qui se reconnaît des sources extérieures à elle-même. De l'autre, tu as raison, A.S. constitue un père mythique et, en tant que tel, il « fait partie de la famille ». Il est même celui dont la fonction est par excellence celle du nom, un nom dont il a signé son passage à plusieurs reprises, celle de ce fameux « nom du père » dont il a marqué le premier l'intérieur, et même le centre, de la Terre. Ainsi Hevelius et Saknussemm réussissent-ils le tour de force d'être des ancêtres de nos héros et, en même temps, des ancêtres « autres », différents, « non endogamiques », comme je viens de vous le montrer.

– Mon cher Achille-Édouard, tu sais que je suis maintenant acquis à tes théories psychanalytiques. Mais je les trouve cependant à l'occasion quelque peu... alambiquées. Exemple : tu nous expliques ce qu'il en est du juif Hevelius en termes d'exogamie, etc. Très bien, très élégant, très recherché... mais n'y a-t-il pas plus simple pour comprendre ce que ce personnage symbolise ? À savoir que l'on pourrait comprendre toutes ces notations que tu nous proposes de la sorte : Axel veut acquérir le savoir, qui est comme le fruit défendu de la connaissance, et ce d'autant plus que c'est la femme qu'il s'agit pour lui de découvrir. Donc, pour montrer l'aspect transgressif de sa découverte, on convoquera les lieux communs de l'univers de la faute : passer par la supposée hérésie d'un juif, ainsi que par un Saknussemm poursuivi par l'Inquisition en son temps. C'est, à y réfléchir, la moindre des choses pour se rendre sous la terre, c'est-à-dire où sont les Enfers. Et là, feu intérieur et monstres y seront tout naturellement eux aussi à leur place, d'une façon que l'on pourrait dire simplement… biblique. Tu vois, on peut expliquer tout ceci sans avoir recours à ta complexe théorisation.

– Mon cher Philémon… eh bien… tu as raison ! Je dois t'avouer que je n'avais pas vu tout ce que tu me montres là. Et qui pourtant saute aux yeux ! C'est bien le problème : lorsqu'on a une idée en tête, on la poursuit obstinément et l'on s'aveugle alors volontiers à celles qui l'entourent à l'évidence. Mais, en fait, je ne pense pas que l'on puisse simplifier non plus… Ton explication me semble à la réflexion la plus « macroscopiquement » évidente : oui, tout le folkore que Verne utilise est bien celui de nos enfers judéo-chrétiens. Cela n'empêche pas non plus mon explication, plus psychodynamique, d'avoir, je crois, sa valeur et sa pertinence. Il doit exister, vois-tu, plusieurs exégèses possibles pour un même passage du *Voyage*. Certaines plus conscientes et proches des valeurs de la société, d'autres plus enfouies et qui constituent, si j'ose dire, l'alchimie cachée du texte inconscient.

– Hum hum, ça se tient, ça se tient… Acceptons donc nos deux commentaires. Tu continues ?

– Je continue. Passons au **Caucasique**.

Après avoir navigué sur la mer Lidenbrock, nos héros en suivent un rivage. Ils trouvent des ossements fossiles. Et soudain :

> « Axel, Axel ! Une tête humaine ! » (p. 252).

Ils viennent de trouver un crâne. Mais il y a plus :

> On comprendra donc les stupéfactions et les joies de mon oncle, surtout quand, vingt pas plus loin, il se trouva en présence, on peut dire face à face, avec un des spécimens de l'homme quaternaire (p. 254).

Là, devant eux, se tient en effet, préservé depuis des siècles, absolument reconnaissable, un corps humain. Sa peau est « tendue et parcheminée » et ses membres « encore moelleux » (p. 254). Ses dents sont intactes, sa chevelure abondante et les ongles des mains et des orteils d'une « grandeur effrayante » (p. 254). Nos héros redressent cet homme contre une paroi rocheuse :

> Ici le professeur prit le cadavre fossile et le manœuvra avec la dextérité d'un montreur de curiosités.
> « Vous le voyez, reprit-il, [...] Quant à la race à laquelle il appartient, elle est incontestablement caucasique. C'est la race blanche, c'est la nôtre ! » (p. 257).

Peut-on plus clairement proclamer qu'il s'agit là d'un aïeul que l'on retrouve ici ?

Encore plus loin, après avoir parcouru une forêt bien étrange car mêlant les espèces végétales les plus diverses, voici qu'Axel s'immobilise et désigne à son oncle un troupeau d'éléphants géants, en fait des mastodontes, de surcroît cette fois-ci vivants et non plus fossiles, et conduits par un **berger géant** ! Voici ce passage :

> « ... Axel ! Regarde, regarde là-bas ! Il me semble que j'aperçois un être vivant, un être semblable à nous ! Un homme ! »
> Je regardais, haussant les épaules et décidé à pousser l'incrédulité jusqu'à ces dernières limites. Mais quoique j'en eusse, il fallut bien me rendre à l'évidence.
> En effet, à moins d'un quart de mille, appuyé au tronc d'un kauris énorme, un être humain, un Protée de ces contrées souterraines [...] gardait cet innombrable troupeau de mastodontes !... Ce n'était plus l'être fossile dont nous avions relevé le cadavre dans l'ossuaire, c'était un géant capable de commander à ces monstres. Sa taille dépassait douze pieds. Sa tête, grosse comme la tête d'un buffle, disparaissait dans les broussailles d'une chevelure inculte... Il brandissait de la main une branche énorme... (p. 262 et 263).

Un homme ! L'Homme ! Un père de plus, dirai-je ! De sorte que ce personnage et les précédents constituent en cascade pour Axel et son oncle une série de pères, pères qui garantissent que la mégalomanie de nos héros a des limites. En effet, certes, ils veulent connaître le secret de la mère, s'en emparer. Et, certes aussi, on trouve là comme un désir de devenir les « Maîtres du monde », ceux qui vainquent la nature et la mère-monde. Mais, pourtant, tout en nourrissant cette ambition mégalomaniaque et incestueuse, ils ne sont pas seuls et c'est accompagnés, dans leur psychisme, de pères qu'ils le font, et surtout de pères à qui, complexe d'Œdipe oblige, ils doivent des comptes. Ainsi, comme le dit le professeur :

> Ce que je fais là, un autre l'a fait… (p. 170).

Ou : « Non, moi, Otto Lidenbrock, je ne m'autorise pas que de moi-même à m'emparer de la mère-nature ; je ne puis le faire que parce qu'un père, avant moi, l'a déjà fait. »

– Touffu, Achille-Édouard, ce que tu nous racontes ! Tout ce que tu nous as déjà dit aujourd'hui donne beaucoup à penser…

– … Et c'est pourquoi, mesdames et messieurs, je dois vous remercier pour votre patience, une patience dont je ne voudrais pas abuser…

Je me servis un expresso.

– Souffrez simplement que votre serviteur vous dérobe quelques petits instants encore, puis il se taira. Je conclurai en effet maintenant très rapidement mon exposé de ce jour en mettant un simple point d'orgue sur quelques fonctions, si importantes, que le complexe d'Œdipe occupe dans le *Voyage* :

a) Il garantit un avenir rassurant à Axel.

On voit en effet ce dernier se constituer une identité masculine des plus étayées. L'audace impétueuse de l'oncle étant tempérée en lui par l'autre figure paternelle bienveillante du roman, celle de Hans, véritable « basse continue » du *Voyage*, Axel peut devenir à son tour un chercheur et un homme sûr de lui, un aventurier à la fois intrépide et pondéré. Dès que les premiers éléments allant en ce sens sont établis dans le livre, il est évident, je vous l'ai déjà dit, que les choses vont bien se passer pour lui.

b) Il permet que la raison triomphe en même temps que l'amour.

Dans la dernière partie du *Voyage*, nos explorateurs pensent être revenus, au cours de leur navigation, vers le nord, à la suite d'une tempête sur la mer Lidenbrock. C'est leur boussole qui le leur indique. Or c'est le Stromboli qui, au sud, les recrachera. Quelle surprise ! Une explication leur sera fournie lorsque Axel se rendra compte de ce que la boussole était faussée :

> Depuis six mois, elle était là, dans son coin, sans se douter des tracas qu'elle causait.
> Tout à coup, quelle fut ma stupéfaction ! Je poussai un cri. Le professeur accourut.
> « Qu'est-ce donc ? demanda-t-il.
> – Cette boussole !...
> – Eh bien ?
> – Mais son aiguille indique le sud et non le nord !
> – Que dis-tu ?
> – Voyez ! ses pôles sont changés.
> – Changés ! »
> Mon oncle regarda, compara, et fit trembler la maison par un bond superbe (p. 305).

C'est donc encore à Axel que reviendra la primauté de la découverte, à la dernière page du livre (p. 306), et même plus précisément dans ses toutes dernières lignes. Il pourra en effet expliquer à son oncle comment, lors de ladite tempête, lorsque la boule de feu s'était rapprochée d'eux, cette dernière avait désorienté ladite boussole. CQFD et donc :

> À partir de ce jour, mon oncle fut le plus heureux des savants, et moi le plus heureux des hommes, car ma jolie Virlandaise [Graüben], abdiquant sa position de pupille, prit rang dans la maison... en la double qualité de nièce [du professeur] et d'épouse [d'Axel]... (p. 306).

À Axel, les suprématies scientifique et en amour !

c) Il permet aussi que les lois de la physique soient respectées en même temps que celles des interdits fondamentaux.

On vient de le comprendre à la lecture de ces dernières lignes : qui sait que le monde ne fonctionne ni au hasard ni dans l'anarchie sait qu'il est des lois qui le dirigent. Et son esprit est marqué de règles et en particulier de celles qui régissent les rapports de parenté et interdisent l'inceste (c'est là la loi fondamentale dégagée par Claude Lévi-Strauss pour séparer la culture de la nature). Ces lois nomment qui est qui dans une famille (comme l'oncle, la nièce, l'épouse). Citons donc à nouveau ce passage :

> À partir de ce jour, mon oncle fut le plus heureux des savants, et moi le plus heureux des hommes, car ma jolie Virlandaise [Graüben], *abdiquant sa position* de pupille, prit rang dans la maison... en la double qualité *de nièce et d'épouse...* (p. 306, mes italiques).

Que nous dit Verne ici si ce n'est que les règles de la parentèle se trouvent à nouveau rétablies et honorées ?... Et voilà... j'en ai fini pour aujourd'hui !

– Formidable ! commenta Philémon. C'est rudement intéressant de découvrir ainsi la trame du travail de Jules Verne.

Tu crois qu'il était conscient de ce qu'il écrivait, qu'il a « fait exprès » d'introduire tous ces ingrédients dans son récit ?

– Non, bien sûr. L'inconscient a pour propriété principale... d'être inconscient ! À notre époque, celle où Freud traîne sur les rayons de toutes les bibliothèques, il pourrait être concevable qu'un auteur se dise : « Je vais mitonner un *Voyage au centre de la Terre* à la sauce Œdipe. » Mais, par contre, lorsque Verne, lui, écrivait son œuvre, son inconscient était à la tâche et s'exprimait en toute innocence et... en toute inconscience ! Freud n'était pas encore passé par là... On se remet une bûche dans la cheminée ? On se refait du café ?

Gladys fit remarquer qu'il tombait un tout petit peu moins de pluie. Nous enfilâmes donc nos cirés et nous partîmes faire une promenade en bottes de caoutchouc qui nous mena jusqu'à la place du Petit-Bois, à quelques centaines de mètres de là. C'est moins loin que l'Islande mais ça peut être agréable aussi. Puis nous nous en revînmes par les entrepôts du bord de Loire. Et rendez-vous fut pris pour un autre exposé. Fichtre ! Les soubassements subconscients du *Voyage* commençaient à puissamment intéresser le petit groupe...

Résumé du chapitre

Libido et pulsion sont les deux sources énergétiques du *Voyage au centre de la Terre*. Elles sont canalisées selon les schémas de l'Œdipe : désir amoureux pour la mère et interdit de celui-ci.

Dépasser le professeur et prendre sa place lors de la conquête de la Terre-Mère, ce sont là les deux objectifs d'Axel. Mais ce n'est qu'au prix d'une certaine inhibition de ces désirs compétitifs, voire parricides, de leur refoulement, qu'ils peuvent, atténués, s'exprimer dans le roman.

De plus, les mouvements affectueux réciproques du neveu et de l'oncle permettent à Axel, grâce à une dimension homosexuelle inconsciente favorable, de s'identifier à son oncle et de s'attribuer les équivalents symboliques et sublimés de son phallus : ceux de l'esprit d'initiative, de l'intérêt et de la curiosité pour la connaissance. L'oncle, toujours bienveillant pour son neveu, permet à ce dernier de se forger un Surmoi clément : c'est ce Surmoi favorable, précisément, qui autorise le neveu à s'approprier les qualités avunculaires.

Cette dynamique s'inscrit dans une perspective transgénérationnelle où l'oncle, placé en position paternelle d'Axel, se situe dans une lignée masculine débutant avec les hommes préhistoriques et s'incarnant dans la figure emblématique d'Arne Saknussemm.

Comme elle constitue l'axe de ce roman, la Loi que le complexe d'Œdipe édicte (interdit de l'inceste et du parricide) fait que le *Voyage* se déroule dans un contexte où les lois sont respectées, autant celles de la parentèle que celles de la physique.

4

Voyage au centre du psychisme

« Les interprètes des rêves de l'Antiquité semblent avoir fait du présupposé qu'*une chose peut, dans le rêve, signifier son contraire*, l'usage le plus abondant. »

Freud S., « Sur le sens opposé des mots originaires » (1910).

Notre réunion suivante devait se tenir dans le Vercors. Nous avions pris un train-couchette qui nous avait bringuebalés au travers de la France et nous étions arrivés tous les quatre à Grenoble au petit matin. Philémon y était allé de sa devinette :

– Un croissant offert par la maison à qui dit quelle est la ville la plus plate d'Europe !

Aucun d'entre nous, malgré nos efforts, n'avait pu trouver la réponse.

– Donc vous allez m'offrir un croissant chacun – et au beurre ! avait conclu notre géographe, avant de nous la donner : la ville la plus plate d'Europe est... Grenoble !

Puis il y était allé de son explication :

– Sachez en effet que Grenoble se situe au contact du Grésivaudan, puissant sillon alpin, de la vallée du Drac et de la cluse de Grenoble. Cette dernière est ainsi une large dépression drainée par l'Isère (dont Grenoble est actuellement le chef-lieu du département éponyme), qui se situe entre le Vercors (au sud-ouest) et la Grande Chartreuse (au nord-est). Or cette dernière, qui est l'expression même du synclinal perché, combinée à la cluse de Grenoble, témoigne directement de ce que l'on appelle le relief préalpin. La platitude de Grenoble (et de sa vallée) s'explique ainsi par l'érosion des Alpes, due à l'action des glaciers il y a des milliers d'années, qui ont d'abord creusé cette vallée pour ensuite, après la fin des glaciations, permettre aux cours d'eau qui se sont alors formés de la remplir facilement de nombreuses alluvions. S'explique ainsi comment nous pouvons obtenir une telle platitude dans une région pourtant si montagneuse…

– … Philémon, tout ceci est bel et bon, mais nous ne sommes pas venus ici pour un cours de topographie, n'est-ce pas ?

– J'en conviens. Simplement, je voulais informer les masses populaires : elles avaient le droit de savoir ! Maintenant, elles savent !

L'étape suivante de notre périple nous mena sur le plateau même du Vercors où nous louâmes des équipements de ski de fond. Après quelques heures d'efforts par combes et sous-bois sentant bon les épineux, nous arrivâmes à notre refuge par des chemins de crête.

Un nouvel exposé allait pouvoir commencer car j'avais en effet apporté là mes feuilles et transparents, non sans m'être auparavant assuré auprès de l'aubergiste qu'il pourrait nous procurer un rétroprojecteur. On a l'esprit scolaire ou on ne l'a pas ! Et même à la montagne ! Et, tandis que la neige tombait à l'extérieur, je commençai mon exposé au crépitement d'un bon feu de bois :

– Mes amis, ce que je vais vous raconter aujourd'hui n'est pas banal. En effet, je vais vous montrer comment on peut percer à jour le secret du *Voyage* grâce à un auteur qui est très peu connu en France, un psychanalyste du nom d'Ignacio...

– ... Matte Blanco ! poursuivit Marie. C'est sa vedette en ce moment. Achille-Édouard est tombé en admiration devant ses œuvres et il n'arrête pas de nous en bassiner à la maison ! Cela dit, c'est vrai qu'il est très intéressant. On t'écoute, Chouchou, excuse-moi pour la parenthèse.

– Achille-Édouard, un passionné ? J'ai vraiment de la peine à le croire ! se sentit obligé d'ajouter Philémon.

– Bon, je peux continuer ? Écoutez-moi plutôt que de plaisanter et réjouissez-vous car, effectivement, ce type est génial. Il est né au Chili en 1908, il s'est formé à la psychiatrie et à la psychanalyse à Londres et aux États-Unis et, après être retourné travailler pendant longtemps chez lui, il s'est installé jusqu'à la fin de ses jours, survenue en 1995, à Rome. Entre-temps, il a laissé différents articles mais aussi deux livres principaux, *The Unconscious as Infinite Sets* et *Thinking, Feeling and Being*[1]. Bizarrement, pour le moment, son œuvre est presque totalement inconnue en France alors que les psychanalystes anglophones ou italophones, eux, en sont plus coutumiers. C'est donc un vent de nouveauté que je vous apporte !

– *Un air nouveau qui nous vient de là-bas...* (Philémon.)

– Qui s'applique comment à Jules Verne ? (Gladys.)

– Patience, ô folles jeunesses ! Car je dois vous donner un repérage théorique sur cet auteur avant de pouvoir en venir à notre *Voyage* et vous faire comprendre comment, justement, la théorie de Matte Blanco s'y applique comme un gant sur la main. Allez, premier transparent :

1. *The Unconscious as Infinite Sets*, Londres, Duckworth, 1975 ; *Thinking, Feeling and Being*, Londres et New York, Routledge, 1988.

Où l'on découvre que tout est dans son contraire et symétriquement

– Vous vous demandez ce que je veux dire par là ? Eh bien, je veux vous montrer un phénomène bizarre de notre psychisme, phénomène qui fait que l'inconscient contient à la fois certaines choses et celles qui leur sont symétriquement opposées. Par exemple, si je vous dis que ce matin nous avons mangé des croissants, vous serez d'accord avec moi, n'est-ce pas ?

– Oui, oui, bien sûr, c'est évident. D'ailleurs, c'est grâce à Philémon ; c'est lui qui y a pensé, confirma Marie.

– Merci donc encore une fois à Philémon. Maintenant, serez-vous toujours d'accord avec moi si je vous dis que ce matin les croissants nous ont mangés ?

– Tu déraillles !

– Eh bien non, Philémon, je ne déraille pas. Car si, bien entendu, pour la conscience, c'est là une faute de logique (ce que nous mangeons, par définition, ne nous mange pas), par contre, pour l'inconscient, le fait de penser que les croissants nous mangent si nous les mangeons ne pose aucun problème. La proposition directe (« nous avons mangé des croissants ») et sa forme symétrisée (« les croissants nous ont mangés ») y coexistent en effet toujours.

– Explique-toi, me somma Gladys.

– Voyez…

La symétrisation

Freud a montré que dans l'inconscient la négation n'existait pas[2]. Donc A (A : « J'ai mangé des croissants ») et non-A (« Je n'ai pas mangé de croissants ») y sont non seulement compatibles mais encore équivalents.
Matte Blanco en a déduit qu'une proposition (A : « Nous avons mangé des croissants ») et sa forme symétrisée (« Les croissants nous ont mangés ») peuvent y coexister.
En effet, si dans l'inconscient la négation n'existe pas, le fait de dire « Manger des croissants exclut que les croissants nous mangent » n'y est pas incompatible avec la proposition opposée, sa négation, qui est « Manger des croissants n'exclut pas que les croissants nous mangent ». Donc, on ne peut plus dire, dans l'inconscient, que, si nous mangeons les croissants, il est impossible qu'eux nous mangent. Ou : Une proposition et sa forme symétrisée y sont équivalentes.
Conclusion : à partir du moment où la conscience pense la proposition « Nous avons mangé des croissants », dans l'inconscient un diablotin y fait automatiquement coexister :
– cette proposition même : « Nous avons mangé des croissants » ;
– avec sa forme négativée : « Nous n'avons pas mangé des croissants » ;
– et sa forme symétrisée : « Les croissants nous ont mangés » ;
toutes trois y étant rendues équivalentes autour de l'axe, de la *fonction propositionnelle* : « manger/être mangé ».

2. Freud S., « L'inconscient » (1915), in *Métapsychologie*, Paris, Gallimard, 1968, p. 96.

– Ce feuillet vous laisse perplexes, je le sens. Alors, pour le rendre plus concret à vos yeux, pensez à un repas d'enterrement. Après avoir mis le défunt en terre, on mange ensemble. Dans quel but inconscient ? Le suivant : remplacer le lien perdu avec le défunt en mangeant ensemble, c'est-à-dire en absorbant une nourriture qui le symbolise lui-même. Ainsi cette nourriture, après la perte du lien avec lui, va nous faire nous sentir être une même chair, lui que nous mangeons et nous qui mangeons ensemble. C'est ainsi que cette situation, celle d'un deuil où des liens sont perdus, a été transformée en son inverse, celle où des liens sont renforcés. Au passage, une symétrisation s'opère, qui est celle-ci : la pensée consciente « manger activement une nourriture qu'ensemble nous faisons pénétrer en nous » devient, dans l'inconscient, « être rendus passivement semblables par la nourriture qui nous pénètre les uns et les autres ». De la sorte, la nourriture que nous faisons nôtre par définition, par le fait même de la manger, nous fait sienne. En « mangeant le défunt », nous ne le perdons plus en le mettant en nous et, en l'absorbant, du même coup, il nous prend en lui.

– Pin-pon, pin-pon ! appelez le Samu psychiatrique pour Achille-Édouard ! lança Philémon. Les psychanalystes sont plus fous que leurs patients, c'est prouvé ! Et comment tout ceci se fait-il, je vous prie, professeur Cosinus ?

– Même pas difficile, Philémon ! Pense encore à la communion chrétienne : tous unis dans l'Église par l'hostie. « Mangez, ceci est mon corps » : on mange le Christ, le Christ est ainsi en nous et, du même coup, nous sommes dans le Christ. Symétrisation donc, qui fait que les fidèles deviennent « un » en mangeant la même « chair », cette dernière les englobant à son tour.

– Tout comme en mangeant du lièvre, on est réputé devenir couard comme ce dernier, surenchérit Marie.

– Oui, c'est ça, on devient lièvre en en mangeant : nous le mangeons = il nous absorbe. C'est ainsi que j'en reviens, justement, aux théories de Matte Blanco. Pour que l'on puisse comprendre comment de tels liens existent, il a développé une métapsychologie très originale. Je vous rappelle que la métapsychologie est cet ensemble de constructions théoriques qui tente de rendre compte de ce que la psychanalyse met en évidence au niveau de sa pratique. La métapsychologie décrit ainsi une théorie des structures mentales des patients à partir de leurs discours recueillis dans la pratique des séances. Exemple : les discours (la pratique) de nombreux patients se recoupant les uns les autres, ils permettent d'inférer qu'il existe dans leur inconscient une structure commune (inférée grâce à la théorie métapsychologique), par exemple celle du complexe d'Œdipe. Et Matte Blanco a proposé une nouvelle façon de penser la métapsychologie tout en précisant bien d'ailleurs qu'il n'avait pas inventé ses conceptions *ab nihilo* et en ne manquant jamais de se référer et de rendre hommage à Freud, auteur dont il était parti pour construire son propre schéma du fonctionnement mental.

– Il a respecté le père, dit Marie.

– Oui, on peut dire ça. Ainsi, il s'est inspiré des conceptions que Freud avait mises en évidence en particulier dans le chapitre VI de son livre *L'Interprétation des rêves*[3], en 1900, et dans un petit texte, « L'inconscient[4] », publié, lui, en 1915. Sans donner tous les détails, ces textes, ainsi que quelques annotations qui se trouvent ici ou là dans l'œuvre de Freud,

3. Freud S., *L'Interprétation des rêves* (1900), Paris, PUF, 1987.
4. Freud S., « L'inconscient », *op. cit.*, p. 65 à 121.

permettent, je vous l'ai dit, de montrer que, dans l'inconscient, une chose et son contraire peuvent coexister (cf. feuillet précédent). Par exemple, si je dis que, au niveau conscient, Pierre est le fils de Jean, Jean ne peut pas y être en même temps le fils de Pierre; par contre, au niveau inconscient...

– ... dans l'inconscient, oui! C'est possible!

– Exact, Gladys. Dans l'inconscient, on peut être aussi bien le fils que le père ou la mère de quelqu'un d'autre et, en même temps, toutes les propositions symétriques y sont acceptées comme véridiques. Pour l'inconscient seul compte en effet qu'il soit question de la fonction propositionnelle « quelqu'un est le fils de quelqu'un » et non la direction (de qui vers qui) cette dernière s'exerce.

– Donc les croissants nous ont mangés ce matin en même temps que nous les avons mangés, ajouta Marie.

– Oui. Et, notion supplémentaire, habituellement ces deux zones, la consciente et l'inconsciente, fonctionnent en parallèle mais ne s'envahissent pas l'une l'autre : au conscient la logique ferme et exclusive des contraires et à l'inconscient les mélanges symétrisés; mais il n'y a normalement pas de court-circuit entre les deux. Par exemple, lorsque nous mangeons un croissant, nous ne redoutons pas, consciemment, qu'il nous mange : c'est silencieusement, et dans les souterrains du psychisme, que se déroulent ce genre de choses. Et, si ce genre de pensées existe chez tout un chacun et en permanence, par contre, elles n'arrivent à la conscience que dans des circonstances psychologiques particulières, celles des « courts-circuits » en question, à savoir les rêves, les romans, les mythes, ou bien dans les délires de certains patients.

– Précise un peu, demanda Philémon. Ton truc des croissants qui nous mangent, j'ai compris. Mais il y a un hic.

Dans la réalité, les croissants ne nous mangent pas : si l'on croit ça, c'est que l'on accepte l'absurde.

– Quitte à me répéter à nouveau quelque peu, tu as raison... *dans la réalité* ! Mais dans le psychisme inconscient il en va pourtant ainsi. Tiens, prenons un exemple, disons celui de la survenue d'une épidémie bovine...

– Meuuuuh ! (Philémon, bien entendu.)

– ... En face d'une telle épidémie, on peut imaginer que se trouve une population de paysans qui vont avoir en même temps une attitude rationnelle (s'assurer des services du vétérinaire) et irrationnelle (aller voir un rebouteux et avoir recours à des formules magiques).

– Qu'est-ce que Matte Blanco vient faire là-dedans ?

– Il vient faire que sa théorie nous aide à penser qu'ici coexistent les niveaux : a) conscient (c'est-à-dire celui qui veut que si une maladie ressortit à une causalité à laquelle il faut appliquer une cure physique, elle ne peut en même temps provenir d'une cause magique ⇒ donc appelons le vétérinaire), et b) inconscient (une maladie a une cause physique et donc non magique – et donc magique en même temps puisque la coexistence des contraires est possible dans l'inconscient ⇒ donc allons également voir le rebouteux pour avoir recours à la magie, elle qui confond le possible et son symétrique, l'impossible). Ces différents niveaux – a et b – nous les voyons ici à l'œil nu dans les attitudes contradictoires et simultanées de nos supposés paysans.

– Tu ne confonds pas ? Tu viens de dire : « et donc non magique – et donc magique en même temps... ».

– Non, tu as bien entendu. Souviens-toi encore une fois du diablotin qui disait : « Puisque la conscience dit *ceci est*, moi je vais dire que dans l'inconscient, mon domaine, *ceci et son contraire* sont possibles ; puisque, pour la conscience, le croissant ne peut pas nous manger, moi l'inconscient, je vais dire qu'il ne peut pas nous manger et qu'il peut nous manger. » Symétrisation !

– Ouais, c'est *a little bit* complexe, tout ceci...

– Mais non, Gladys, ce n'est pas bien compliqué. Je continue...

– Stooop ! suggéra Philémon. Repos, ça chauffe ! Je décrète l'état de pause urgente ! Cognac *everybody* ?

Cognac méditatif il y eut donc. Après lequel je pus poursuivre :

– Ces bizarreries établies, je vais aborder une notion supplémentaire parmi celles mises en évidence par Matte Blanco : celle qui veut que l'inconscient fonctionne non pas en termes de logique descriptive (Philémon mange le croissant – ou bien : le croissant mange Philémon) mais en termes de ces *fonctions propositionnelles* que vous avez d'ailleurs commencé à voir apparaître dans mon exposé. Exemple de fonction propositionnelle ici en cause : « manger-être mangé », en fonction de laquelle, l'inconscient se saisissant de toutes ses déclinaisons possibles, nous trouverons, rendus équivalents dans ce dernier : Philémon mange le croissant – le croissant mange Philémon – Philémon mange avec nous – nous mangeons Philémon – nous nous mangeons les uns les autres – les croissants nous mangent tous, etc.

– Et, dit Philémon, pour les vaches, ça donnerait la chose suivante : les vaches sont influencées par un sort – les vaches influencent les sorts – les vaches ne sont pas influencées par un sort, etc.

– Parfaitement : la fonction propositionnelle serait ici celle de...

– ... « influencer-être influencé ».

– Très bien, Gladys, tu es en pleine forme aujourd'hui. Je vais maintenant essayer de vous distraire de la théorie par un petit exemple tiré d'une lecture… Voici le Simenon que j'ai amené dans ma besace : *Les Demoiselles de Concarneau*. À la page 3, le début de l'intrigue se noue : un dénommé Jules Guérec vient d'y écraser un enfant en auto. C'est l'*événement* qui va lancer l'histoire : quelque chose s'est déroulé. Mais, à côté de cet événement lui-même, on trouve toute une *ambiance* : obscurité de la nuit sur la route lors de l'accident ; pluie bretonne qui tombe dru ; conflits des marins-pêcheurs avec leurs fabricants de conserves… Notez bien qu'aucun de ces éléments ne va ensuite avoir de place particulière dans le déroulement à proprement parler du roman. Seulement voilà, leur rôle n'en est pas moins indispensable car ils en constituent l'ambiance. Autrement dit, ils nous sont livrés directement en provenance de l'inconscient : ils ne font rien de particulier mais ils « irradient » comme des ondes qui sont autant de fonctions propositionnelles. Et ici, la fonction propositionnelle amenée par Simenon au travers d'eux est : « Il y a du malheur dans l'air. » *Is this clear?*

– *It is!* répondit Gladys. Ce n'est pas comme dans notre petit chalet, où la fonction propositionnelle est : « Il est question de chaleur et d'amitié au coin du feu », *isn't it?*

– *It is!* Et vous voici maintenant bien armés pour aborder la question des fonctions propositionnelles que l'on trouve dans le *Voyage*. Transparent !

Voyage au centre de la Terre : **fonctions propositionnelles d'oralité, d'emprisonnement et de symétrisation**

La nourriture est un thème très important tout au long du *Voyage*, comme celui de l'enfermement-emprisonnement. Ils y constituent des fonctions propositionnelles extrêmement présentes : celles de « manger-être mangé » et, dans son prolongement, celle d'« enfermer-être enfermé » (la nourriture étant justement ce qui est « enfermé » à l'intérieur du corps). À vos livres ! Voyez qu'il y est question de nourriture dès la cinquième ligne du *Voyage*. Il est en effet écrit là :

> **La bonne Marthe dut se croire fort en retard, car le dîner commençait à peine à chanter sur le fourneau de la cuisine (p. 6).**

Qu'apprenons-nous un peu plus loin ? Que le « contenu » (p. 9) de sa maison appartient au professeur Lidenbrock. Le « contenu », c'est-à-dire Axel, Graüben et Marthe ! Des humains purement et simplement ravalés au rang de « contenu », et à celui, donc, d'être « possédés » par le professeur ! Il y a ici fonction propositionnelle commune. Manger, c'est en effet « mettre en soi », contenir, et par extension, posséder. Autrement dit, à peine le lecteur vient-il de commencer à lire le *Voyage* que déjà Jules Verne lui dit – implicitement : « Écoute, lecteur, ce dont il est question ici, c'est des fonctions propositionnelles "manger ; enfermer en soi ; posséder l'autre". »

Permettez que je vous montre combien ce thème est récurrent dans le *Voyage* en faisant la recension de ses apparitions. Je vous ai préparé une synthèse à ce propos.

Voyage au centre de la Terre : fonctions propositionnelles d'oralité, d'emprisonnement et de symétrisation

Oralité et emprise. Exemples

– « J'avouerai que je *mordis* avec *appétit* aux sciences géologiques... »(p. 11, mes italiques), nous dit Axel, pour montrer sa passion de la minéralogie : manger, oralité, voilà la fonction propositionnelle.
Poursuivons :
– « Mon oncle se jeta sur ce brimborion avec une *avidité* facile à comprendre » (p. 15, mes italiques) : c'est là la réaction de l'oncle lorsque le manuscrit tombe du livre. Oralité encore !
– Temps ultérieur : celui de l'équivalence nourriture-emprisonnement. Celle-ci apparaît lorsque le professeur se met en tête de découvrir le sens du cryptogramme. À ce moment-là, trois des personnages de la maisonnée se consacrent précisément à la nourriture : Axel en mangeant le repas du professeur (p. 17) ; le professeur, lui, en ne voulant plus absorber aucune nourriture et en la refusant à ses proches ; et la bonne Marthe, « très innocemment » (p. 35), est-il dit, en dévorant les provisions qui restent encore dans la maison et, du même coup, en en privant les autres occupants. Si la nourriture vient alors à manquer, c'est, vous le savez, à cause du professeur qui, en effet, part déambuler dans Hambourg en enfermant tout le monde à clef dans la maison. Puis vient, juste après, le moment où Axel découvre la « clef » du manuscrit (fonction propositionnelle : « enfermer-ouvrir à clef »). Il finit par donner cette clef au professeur et, dès lors, que dit celui-ci ? Ceci : « ...je meurs de faim. À table... » (p. 37). Oralité et savoir sont ici mis en position

d'équivalence ; dans un cas comme dans l'autre, il s'agit *de prendre en soi, d'emprisonner, d'avaler* de la nourriture, que celle-ci soit réelle ou, symboliquement, celle du savoir ou de la connaissance du secret.

Donc,
– Axel est un mangeur (de nourriture ou de savoir) (cf. *supra*) ;
– Axel pille la Terre (il en extrait des parties, c'est-à-dire différents minerais, pour les posséder en sa collection) ;
– Une mère nourricière symbolique (la bonne Marthe) sert un repas à Axel.

D'où, symétrisation prévisible :
– Celui qui pille et dévore la Terre sera avalé à son tour par elle ; Axel devra être mangé ou une emprise devra être exercée sur lui par la Terre-Mère. Et c'est bien ce qui se passera dans le livre.

Axel sera mangé-gobé par la Terre

Épisodes correspondants :
a/ p. 140 et suiv. : L'eau vient à manquer. Le sein de la mère (Marthe) était généreux en nourriture ; le voici desséché. Axel meurt presque de soif. Ainsi la Terre devient presque son tombeau (thème de l'enfermement définitif dans la Terre-Mère dont il est sorti un jour).
b/ p. 174 et suiv. : Axel se perd dans une galerie collatérale. Le voici « ... enterré vif avec la perspective de mourir dans les tortures de la faim et de la soif » (p. 176) : oralité, emprisonnement.
c/ p. 209 et suiv. : Le voyage se poursuit sur la mer intérieure. Plusieurs épisodes s'y déroulent où, à nouveau, l'engloutis-

sement menace. Axel tombe presque dans l'eau lors de la tempête (Hans le retient de justesse). Une boule de feu l'attire (magnétisation qui symbolise l'attraction dévorante de la Terre-Mère). Sous l'eau vivent des monstres : l'ichtyosaurus et le plesiosaurus, dont une des caractéristiques est de posséder des mâchoires puissantes et surdentées, en bref des organes de dévoration (d'ailleurs l'un finit par égorger l'autre de ses crocs) : oralité encore.
d/ p. 271 : Thème aussi de l'enfermement lorsque les héros, après avoir découvert le poignard de Saknussemm, se trouvent devant une voie bouchée par un éboulis (p. 273).
e/ Tout au long du livre, la mère (la Terre = la mer) est une avaleuse monstrueuse[5] : ainsi son intérieur (son ventre, ses « boyaux » et autres « entrailles ») recèle tout ce qu'elle a gobé : des champignons géants (p. 198), une plaine d'ossements préhistoriques s'étendant à perte de vue (p. 250), l'homme quaternaire miraculeusement momifié (p. 252), le berger de douze pieds de haut et son troupeau de mastodontes (p. 268), une forêt luxuriante et anarchique (p. 259), des roches diverses, des cristaux... etc. Quel appétit !

5. De façon générale, les pionniers de la psychanalyse qu'ont été Karl Abraham (1887-1925) et Melanie Klein (1882-1960) sont ceux qui ont tout particulièrement développé le thème de l'incorporation cannibalique. L'enfant comme dévorateur de sa mère, mais aussi réciproquement la mère comme avaleuse et dévoratrice de ses enfants, tels sont ces fantasmes universellement partagés, ont-ils mis en évidence. On peut les retrouver explicités dans une perspective à la frontière de l'anthropologie et de la psychanalyse par Geza Roheim en 1950 (*Psychanalyse et anthropologie*, Paris, Gallimard, 1967). Dans cette même perspective, citons le texte de Georges Devereux (1966), qui s'intitule « Les pulsions cannibaliques des parents » (*Essais d'ethnopsychiatrie générale*, Paris, Gallimard, 1977, p. 143 à 161). Avec le *Voyage*, on pourrait dire que Jules Verne dépasse en ampleur Abraham et Klein sur leurs propres terres ; la (Terre) mère s'y révèle l'incorporatrice-dévoratrice illimitée par excellence.

– C'est *Les Dents de la mer*! s'exclama Philémon.

– Tu ne crois pas si bien dire. Le savoir populaire laisse d'ailleurs transparaître ici ou là les affleurements d'un inconscient qui considère la mère en tant que dévoratrice et que ce soit dans ce film ou dans des notions telles que celles des « envies » alimentaires des femmes enceintes... des envies à ne pas contrarier... car si on ne leur donnait pas les fraises qu'elles désirent, elles pourraient bien manger le bébé, le père, et tout ce qui se trouve autour d'elles ! Mais j'en reviens à mon propos pour dire qu'en synthèse nous trouvons là deux longueurs d'ondes dans le *Voyage*, la consciente et l'inconsciente. La consciente est celle de l'aventure explicite : un manuscrit délivre un sens caché. Il indique comment aller explorer le centre de la Terre, etc. L'inconsciente est celle de la fonction propositionnelle « prendre possession de » (de la nourriture réelle ; de la nourriture intellectuelle ; de la Terre ; des minerais de cette dernière ; les uns des autres).

– Voici qui hume son Roland Barthes ! Derrière toute narration événementielle, cherchez les « indices » qui lui confèrent son ambiance, son timbre spécifique...

– Tu penses à son *Introduction à l'analyse structurale des récits*, Philémon ? Tu as raison. C'est effectivement d'une façon parallèle à ses travaux que, à propos du *Voyage*, une comparaison peut être faite avec un air de musique. Sa mélodie constitue le « récit » conscient. Par contre, des éléments moins apparents, tels que le choix des instruments qui l'interprètent, les basses qui y diffusent sans être des notes à proprement parler (gongs, batterie, rythme...), le choix de sa tonalité, majeure ou mineure, en constituent des éléments d'ambiance. Et l'on peut donc dire que, dans le *Voyage*, se développe toute une « aventure parallèle ». En voici une synthèse :

Voyage au centre de la Terre : l'aventure parallèle

La relation nourricière caractérise celle de l'enfant à sa mère. Or, Axel, ayant perdu sa mère précocement, connaît un désir vorace de nourrisson brutalement sevré, celui de pouvoir renouer ce lien oral perdu. Cela n'est pas dit explicitement dans le récit mais peut être déduit de la condition même d'orphelin d'Axel. Il se fait donc le pilleur de la Terre-Mère (il s'approprie ses roches) et son envahisseur (il l'explore). L'oralité est ensuite figurée par la vieille bonne Marthe, à la fois nourricière et dévoratrice. Cette figure de la mère accaparatrice apparaît encore sous différents aspects : celui de la Terre emprisonnante et celui des monstres aux crocs aiguisés en particulier. Le désir oral de la mère vis-à-vis de son enfant est aussi intense que l'envie de son fils envers elle : il a la force d'un feu intérieur dont la puissance déchaînée est semblable à celle d'une boule de feu en folie. Sa force d'attraction, magnétisante, est immense. La mère (la Terre) menace aussi de vider son fils Axel de son sang (que celui-ci perd d'ailleurs à deux reprises dans le livre – p. 180 et p. 237) ainsi que de son être même (p. 180 : il perd « tout sentiment d'existence »). C'est d'ailleurs pour éviter ce risque vampirique que, tout au long du livre, court un souci de la nourriture ; les repas de nos héros, souvent menacés de mourir de faim ou de soif, constituent à ce titre autant de bornes significatives du récit.

Je vais maintenant poursuivre mon exposé en vous détaillant quelques grands axes des symétrisations qui opèrent dans le récit… Mais auparavant : re-pause !

Je laissai le dernier transparent exposé et le ventilateur du rétroprojecteur émettre son bruit feutré. Je sortis un instant regarder le paysage et fumer une pipe. La neige continuait à tomber à gros flocons cotonneux et le soir à s'installer. Je goûtai un instant le froid, piquant après cette station douillette au coin du feu. Puis je tapai mes bottes contre le socle de l'entrée et je rentrai. Je repris ma place d'exposant :

– Je vais encore parler de théorie. Voici en effet la troisième étape de mon exposé. Je viens de vous montrer, je vous le rappelle, que dans l'inconscient tel que Matte Blanco nous le fait connaître :

a) les contraires coexistent par un effet de symétrisation qui vient rompre la logique consciente ;

et

b) ce même inconscient « matte-blanquien » se soucie moins de récits ordonnés (Philémon mange le croissant ou le croissant mange Philémon) que de fonctions propositionnelles (manger-être mangé). Voici maintenant le troisième point issu de Matte Blanco, celui qui aborde la notion des « strates » de l'inconscient. Voici de nouveau quelques feuillets photocopiés assez longs mais que nous allons lire ensemble :

Les strates du psychisme selon Matte Blanco

Bien que lui-même ne l'ait pas proposé, on peut se représenter le psychisme tel que Matte Blanco l'a décrit comme un triangle.

Sur ce triangle, on peut placer des strates dont **la première** est celle de la conscience, qui correspond à sa pointe supérieure. Pourquoi la pointe ? Parce qu'elle tend vers sa limite, c'est-à-dire à être un seul point, celui de la rencontre de deux côtés. Le point est par excellence l'espace limité et défini. Et à ce premier niveau, donc, qui est celui de la conscience, le psychisme fait effort pour délimiter des concepts clairs, en particulier au moyen des mots ou des représentations chiffrées. Dans l'infini des choses à se représenter que le monde offre au psychisme, la conscience opère, en effet, en séparant les choses les unes des autres et en les distinguant entre elles. Par exemple, dans l'infini qu'offrent à la contemplation le temps et l'espace, dans le *Voyage*, lorsque nos héros – p. 130 – notent les données suivantes : « lundi 1er juillet ; chronomètre : 8 h 17 du matin ; baromètre : 29 p. 7 l. ; thermomètre : 6° ; direction : E-S-E », c'est bien une segmentation entre unités distinctes et inconfondables entre elles qu'ils opèrent : en effet, si nous sommes le 1er juillet, nous ne sommes ni le 2 de ce même mois, ni le 9 mars, le 15 juin ou le 20 octobre ; si nous sommes à 8 h 17 du matin, nous ne sommes pas à 8 h 18, etc. La claire pensée, celle d'un Descartes s'isolant du monde et des sensations pour tenter de percevoir en lui des idées définitives, est celle de la première strate, celle qui classe, qui distingue.

C'est elle qu'utilisent nos voyageurs lorsqu'ils raisonnent en scientifiques et en géographes, celle qui leur est utile pour classifier et distinguer les roches, c'est-à-dire pour les séparer les unes des autres ; ou encore pour mettre en mots

et en dates le déroulement des aventures (cf. le carnet de route d'Axel) ; ou encore pour mesurer leurs déplacements. Conséquence de ces claires distinctions, dans cette première couche, comme A doit y être distingué de B, on dira que nous sommes dans le monde de l'asymétrie : si A est différent de B, A ne peut être semblable ou équivalent à B. Ainsi le temps et l'espace y sont-ils clairement vectorisés ; c'est-à-dire que le temps va de 8 h 18 vers 8 h 19, puis 20, etc. et que l'est n'est pas l'ouest, le nord pas le sud, etc.
Ce monde est donc celui de la pensée et des événements (les *Thinking* et *Happening* selon les termes de Matte Blanco). En effet, pour penser, il faut distinguer des choses entre elles afin de pouvoir les comparer et les mettre en interrelation (exemple : la plaine est différente de la montagne ; c'est pourquoi on comprend que les alluvions se soient déposées seulement dans la plaine et aient constitué le plateau de Grenoble, si remarquable de platitude. Si, de différentes, montagne et plaine devenaient équivalentes à notre entendement, par contre, ce raisonnement ne pourrait même plus exister). Et, pour distinguer des choses entre elles, il faut que le temps et l'espace soient en déroulements permanents (nos héros sont à tel point le 1er juillet ; et à tel autre le 7 ou le 14). Ce sont là des *événements* et nous nous représentons les héros en train d'évoluer : ce sont nos *pensées* les concernant (*Happening* et *Thinking* donc). Si le temps ne passait pas, et si les lieux ne changeaient pas, il n'y aurait ni déroulement événementiel ni idées pouvant décrire ce dernier. Ce serait comme un « arrêt sur image » de la pensée et de l'aventure (un arrêt sur image sur lequel nous reviendrons plus bas).
Signalons que ce premier niveau psychique est antinomique de l'émotion. C'est en effet celui où l'on « garde la tête froide ». On y considère tout problème avec distance,

pour pouvoir en faire passer les éléments, un par un, sous la loupe de la pensée : on y analyse les situations, on les fragmente en sous-problèmes à résoudre intellectuellement un par un.

Pendant que ces caractéristiques se déploient dans la strate la plus superficielle du psychisme, d'autres phénomènes, en permanence, y ont lieu en profondeur. Plus on s'immerge dans l'inconscient et plus les éléments y deviennent confondus entre eux. Dans la première strate, nous l'avons vu, ce sont les points distincts qui prévalent. Dans la **deuxième strate**, on trouve le monde de l'émotion. Cependant les éléments y restent encore distincts entre eux et l'émotion n'est pas si forte qu'elle ne permette plus de les penser comme tels ; l'asymétrie persiste et A reste différent de B. Par exemple, on peut penser et ressentir, devant une personne en colère : « Cette personne (A) est comme un tigre (B). » L'émotion reste toutefois limitée et la pensée claire : la personne est *comme* un tigre et non pas pour autant *un* tigre ; l'analogie ne suffit pas à faire confondre la personne en colère et le tigre ; l'émotion reste pondérée et, devant cette personne, on ne se sentira pas pris de terreur comme on le serait devant un tigre.

Mais, dans **la troisième strate**, la symétrisation commence à opérer de façon plus massive. Un phénomène de confusion entre les éléments ayant des analogies s'opère. Ici un homme en colère est vécu comme s'il était *vraiment* un tigre (A = B). Ou bien pensons encore à une personne phobique qui, lorsqu'elle va prendre l'ascenseur, confond, par analogie, le vide sur lequel elle est avec le risque de chuter dans un gouffre sans fond. Ici un élément commun (la hauteur) suffit à ce que des situations analogues en un point soient confondues en totalité.

L'intensité des ressentis qui en découlent va, de ce fait, vers des valeurs extrêmes, et même qui tendent vers des valeurs infinies (exemple : la personne phobique craint une catastrophe totalement annihilatrice). C'est pourquoi Matte Blanco dit que nous sommes ici dans le domaine du *Feeling*. Pour prendre un autre exemple, si la Terre et la mère sont comparables mais non confondues dans les première et deuxième strates, plus en profondeur, dans la troisième strate, par contre, elles sont bel et bien vécues (par Axel comme par le lecteur) comme une seule et même chose. Toute personne vit à tout moment une même réalité de plusieurs façons simultanées : en nous coexistent la conscience (celle qui nous fait admettre que l'on puisse comparer la mère et la Terre, par exemple) et l'inconscient (dans lequel nous vivons cette analogie comme une similitude totale).
Outre ce phénomène, qui concerne l'intensité des émotions, la troisième couche est aussi le lieu d'une assimilation du tout et de la partie. En fait ce n'est là que répéter en d'autres mots ce que nous venons de préciser auparavant. Par exemple, le Dieu de la Providence (p. 177), Lidenbrock, le père disparu d'Axel, Hans, le soleil qui vient pénétrer le Sneffels, Arne Saknussemm, ce sont toute une série d'éléments du *Voyage* qui ont en commun une valence paternelle symbolique. De ce fait, même s'ils sont distincts dans le récit des événements – un récit qui est assimilable à la conscience, rappelons-le – en profondeur, par contre, ils forment un seul et même ensemble, une ligne de base – celle où la fonction propositionnelle « le paternel » tient une place importante dans le récit. Tous ces éléments sont assimilés entre eux dans notre inconscient et leur analogie pourrait se résumer par la fonction propositionnelle : « Du paternel est bien présent dans ce roman. »

Passons à la **quatrième strate**. À son niveau, ce n'est plus seulement la partie qui est confondue avec le tout et l'individu avec son groupe (exemple : le poignard d'Arne Saknussemm, qui est une partie de lui = Arne Saknussemm tout entier = la valence paternelle = le groupe des pères dans son ensemble), mais encore l'ensemble des groupes ainsi constitués qui se confondent entre eux dans des groupes de plus en plus larges et de plus en plus inclusifs. Par exemple, dans le fil conducteur inconscient du *Voyage*, la lignée paternelle que nous venons de décrire est, dans la troisième strate, distincte de la lignée maternelle (cette dernière : Marthe = la mère morte = la Terre dévoratrice = la mer = la boule de feu = les cavernes, etc. = le groupe des mères dans son ensemble). Or, dans cette quatrième strate, elles se trouvent toutes deux confondues dans un ensemble plus vaste qui est celui, englobant les deux précédents, des éléments parentaux (le groupe des parents incluant celui des pères et celui des mères). Ici, donc, allant de certains ensembles déterminés à des ensembles de plus en plus vastes (pères → parents → familiers → proches → humains en général → êtres → êtres et choses...), *tout a tendance* à devenir amalgamé et confondable avec tout.

Enfin, dans la **cinquième strate**, la base de notre triangle, *tout est* amalgamé avec tout. Par exemple, à son niveau, Axel fusionne avec Lidenbrock (« L'âme du professeur avait passé tout entière en moi », p. 273), mais aussi avec Hans, avec la Terre, avec la mère, avec les hommes quaternaires et avec le pasteur des mastodontes, avec la boule de feu, avec la lave autant qu'avec les forêts et qu'avec le poignard de Saknussemm, etc. Tout ce qui est dans le roman peut, dans cette couche la plus profonde, devenir partie constituante de celui qui en est le héros. Tout ce qui entoure ce dernier se prolonge et vibre en lui.

Comme illustration de ceci, rappelons-nous de la campagne présidentielle de François Mitterrand en 1981 : il y avait dit approximativement qu'il « se sentait Français de toutes les forces telluriques de son être ». Voici un bel exemple de confusion de l'homme et de la Terre, qui fait appel, justement, à l'existence de cette couche profonde et confusionnelle qui existe en tout un chacun et dans laquelle un élément matériel, la Terre, peut être confondu avec, entre autres, l'essence spirituelle d'un individu alors que, pourtant, ces deux catégories n'ont *a priori* rien à voir l'une avec l'autre. Oui, François Mitterrand, à ce niveau, pour toucher ses concitoyens, faisait appel à la grande confusion qui est en nous tous au niveau de cette cinquième strate. Il en appelait, en un message à tonalité mythologique, pour ne pas dire mystique, à la grande fusion et à la grande confusion des êtres, de tous les Français entre eux et même de tous les Français avec leur glèbe, glèbe qu'autochtone il désignait lui-même comme étant partie constituante de sa propre nature profonde.
Matte Blanco a désigné cette couche profonde de la confusion de tout avec tout du nom évocateur de *Basic Matrix*. Autrement dit, en elle, tout n'est que magma et immanence, source de l'être comme le serait une matrice (exemple : François Mitterand naissant de la terre de France). Et, comme tout y est confondu avec tout, les aventures s'y annulent (le point A et le point B, différents pour la conscience, deviennent ici confondus ; le temps 1 et le temps 2, eux aussi, sont identiques à ce niveau) : dès lors, aucun événement ne peut se produire et l'« arrêt sur image » dont nous parlions plus haut survient. Ici, il ne *se passe* rien ; simplement, on *est*. Dans le *Voyage*, en apparence une pure aventure avec des rebondissements successifs, existe donc aussi une couche profonde qui est celle de l'Être (du *Being*, comme l'appelle Matte Blanco), de l'immanence statique et éternelle.

– Ouh ! pas très clair ce dernier point, réagit Philémon. La *Basic Matrix* : je vois à peu près... mais à peu près seulement. Tu peux être un peu plus précis ?

– Si ce dernier élément vous reste un peu obscur, patientez encore un peu, cher monsieur, et vous verrez comment ses illustrations vous le rendront plus évident lorsque je vous les détaillerai au fil du texte vernien. Je vous ai fait un exposé pesant, je vous le concède, mais indispensable et nous allons, grâce à ces notions, pouvoir passer au tamis de Matte Blanco encore quelques autres thèmes du *Voyage*.

– Attends, dit alors Marie, laisse-moi te proposer une idée. Ce que tu nous dis là sur les strates, ce n'est peut-être pas vraiment difficile à comprendre si l'on veut bien faire une comparaison avec la peinture, du moins au point de vue des émotions et des notions claires ou confuses.

– Vas-y, je t'en prie.

– J'ai pensé en t'écoutant que l'on pourrait proposer la comparaison suivante : dans la strate supérieure du « psychisme façon Matte Blanco », on trouverait ainsi la peinture hyperréaliste. Précision des détails, objectivité du rendu : on y perçoit tout, une chose est une chose et pas une autre, mais, justement, l'on reproche souvent à ce type de peinture sa froideur, son manque d'affect. Autrement dit, à ce niveau, c'est l'émotion zéro. Strate deux : des détails persistent grâce auxquels on reconnaît toujours sans équivoque et aisément le sujet du tableau : un paysage de Corot, une chair de Rubens, une nature morte de Chardin ; cependant l'objectivité est ici déjà moins grande car elle se laisse gagner par l'ambiance qu'instille la sensibilité propre à chaque peintre ; mais elle n'en persiste pas moins. Strate trois : c'est celle de l'impressionnisme : la sensation prend le dessus sur le détail et c'est elle qui devient le principal sujet du tableau. La fonction propositionnelle est alors au premier plan. En effet, imaginons qu'un impressionniste peigne une cruche ; comme il ne nous en donnera pas à voir les détails précis, on ne pourra pas dire devant cette dernière : « C'est la cruche de Jeannette ou celle de Georges. » C'est « une » cruche, c'est la « fonction propositionnelle cruche en général » qui est ici représentée. On voit donc que ce type d'objet, une cruche, est là mais sans la précision qui la spécifie comme exemplaire unique doté de toutes ses caractéristiques particulières. L'exemplaire unique est oublié au profit de sa catégorie, elle-même spécifiée par sa fonction propositionnelle. Strate quatre : l'art abstrait ; la forme doit y disparaître au profit de l'impact émotif de la couleur, de la pâte, du mouvement ; ou bien, si forme il y a, elle n'est plus que support à sa propre déformation et à se faire oublier, comme, par exemple, dans les tableaux de Bacon où le sujet représenté passe au second plan derrière le tourbillon qui l'emporte. Strate cinq : c'est la fusion, l'immanence comme tu nous le disais. Exemple : les bleus de Klein et autres toiles monochromes où n'existe plus aucun détail précis… Qu'en dit mon professeur de mari ?

– Je dis que tu m'épates ! Je suis là à m'épuiser – et à vous épuiser – avec mes feuillets théoriques plus usants que le mauvais temps, et toi tu ramasses toutes mes idées en quelques mots ! Tu es formidable, et c'est pourquoi je dis encore que j'ai bien fait de t'épouser, que je t'aime et que, oui, tes comparaisons me semblent tout à fait bonnes et explicatives ! Que serais-je sans toi qui vins à ma rencontre ? Et, avec toi, que la montagne est belle ! Voilà ce que je dis, et j'ajoute… que je n'ai rien d'autre à ajouter.

– Vive l'amour ! (Philémon encore, on s'en doute.)

– Alors en route pour la dernière étape de notre voyage théorique d'aujourd'hui. Transparent...

– Oh, oh! Tout doux! On s'arrête là, Achille-Édouard! intervint à nouveau Philémon. Tu nous en as mis plein la tête. Ça fume sous mon crâne! Je propose quelque chose: on se relit tranquillement ton petit texte sur Matte Negro et on s'arrête là pour ce soir. On reprendra demain matin.

– Matte *Blanco*, Philémon!

– Excuse, Matte Blanco! Tu vois, j'en bafouille! Je disais donc: on se relit ça tranquillement, et puis on soupe. Ça mûrira pendant la nuit dans nos pauvres têtes surmenées par tes explications – passionnantes au demeurant – et demain, alertes à nouveau, on t'écoutera pour la fin de ton exposé. Qu'en penses-tu? Et qu'en pense l'honorable assemblée?

L'honorable assemblée ne se fit pas prier pour suivre Philémon. Le dernier texte fut donc lu à nouveau tranquillement. Puis nous soupâmes. Puis nous éprouvâmes le besoin de nous dégourdir un peu les jambes au-dehors avant d'aller dormir. Or la neige avait cessé de tomber et le ciel était devenu clair et étoilé, invitant à la promenade. Nous rechaussâmes nos planches et nous traçâmes une petite route. Quel plaisir ce fut d'avancer là comme sur de la soie à la douce lueur de la lune alors presque pleine! À un moment, effrayées, des biches partirent au galop devant nous, ombres bleues et graciles. Un hibou nous salua. Puis nous retournâmes à notre gîte. Gladys conclut la soirée en nous disant:

– Bonne nuit; sachez que la fonction propositionnelle est maintenant: «dormir et faire de beaux rêves»!

La nuit fut bonne et emplie, effectivement, pour chacun d'entre nous, de rêves de montagnes parcourues à pas de géants et d'explorations souterraines dans de mystérieuses cavernes sans fond.

Résumé du chapitre

Ce chapitre est difficile à suivre. On n'hésitera pas à le lire deux ou trois fois plutôt qu'une pour bien le comprendre. L'auteur était confronté à un choix : l'écrire de façon allusive ou détaillée. Il a choisi la deuxième voie, ce qui est en effet nécessaire pour découvrir Matte Blanco, un psychanalyste chilien ayant inscrit sa pensée dans les traces de celle de Freud. Trois des notions principales que Matte Blanco a mises en évidence sont développées :

– la première est celle de la *symétrisation* : celle-ci veut que toute proposition consciente soit, dans l'inconscient, couplée à son inverse. Exemple : si des minéralogistes différencient entre elles les roches en les classifiant, l'inconscient, lui, les fera se confondre, par exemple en les mêlant en une pâte de lave ;

– la deuxième est celle qui veut que, plus on s'enfonce dans l'inconscient et plus les éléments distincts s'y effacent au profit de la *fonction propositionnelle* qui les lie. Exemple : si Axel mange le repas de son oncle, si Marthe dévore les provisions de la maison et si les bêtes préhistoriques s'entre-déchirent de leurs crocs, le fil conducteur inconscient qui relie ces différents épisodes, par-delà les protagonistes et les événements particuliers dont il est question, est celui de la fonction propositionnelle « oralité » ;

– troisième notion : plus l'on s'enfonce dans les strates de l'inconscient et plus *tout se confond avec tout*, que ce soit les hommes entre eux ou bien les individus et les choses qui les entourent.

5

LE ROYAUME DE LA SYMÉTRIE

« Puis apparaissaient, *confondus et entremêlés*, les arbres de contrées si différentes de la surface du globe, le chêne croissant près du palmier, l'eucalyptus australien s'appuyant au sapin de la Norvège, le bouleau du Nord *confondant* ses branches avec les branches du kauris zélandais. C'était à *confondre* la raison des *classificateurs* les plus ingénieux de la botanique terrestre. »

Voyage au centre de la Terre, p. 260.

Notre aubergiste était réputé pour sa spécialité de confitures aux mirabelles. Au petit déjeuner, celle-ci nous consola de nos courbatures.

Nous avions dormi comme des marmottes.

Devant la porte du chalet, sur une aire dégagée de sa neige, Philémon avait commencé la journée par quelques exercices de tai-chi. Il avait fallu le tirer par les bretelles pour le faire rentrer.

Une fois la table desservie, je me lançai à nouveau :

– Je vous disais hier que nous étions désormais des vieux routiers de la symétrisation. Nous savons tout sur elle et sur le fonctionnement des strates profondes de l'inconscient, n'est-ce pas ? De ce fait, ce matin, je me contenterai d'un exposé bien plus digeste et, somme toute, de quelques « coups de surligneur » tracés sur des passages du *Voyage* où cette symétrisation apparaît fortement. Transparent :

Le *Voyage* ou le royaume de la symétrie

- Le rêve d'Axel : une orgie de symétrisation
- Annulation-symétrisation du temps et de l'espace dans le *Voyage*
- Classer devient fusionner – le sujet et l'objet se confondent
- Le chiffrable devient l'infini
- Dedans et/ou dehors ?
- Les morts et les vivants cohabitent
- La raison et la folie

Le rêve d'Axel : une orgie de symétrisation

Il s'agit de cet épisode qui se déroule des pages 213 à 217 du livre. Les résonances profondes du psychisme y apparaissent portées à leur intensité maximale. À la page 213, nos explorateurs, naviguant sur leur radeau, viennent de pêcher un poisson préhistorique. Ce dernier, non seulement est aveugle mais encore il n'a même pas d'yeux. C'est une annonce classique : aux aveugles la clairvoyance sur le monde intérieur ! Je vous rappelle que c'est à Tirésias, l'aveugle de l'*Œdipe* de Sophocle, qu'échoit le rôle du devin. Soit donc notre poisson préhistorique, l'initiateur et le signal discret de la « vision » qu'Axel va, dans la foulée, connaître. Car ensuite, en effet, notre héros, examine de sa lunette la mer et l'espace. Tous deux sont vides et déserts. On dirait que c'est de ce fait même – comme s'il n'y avait rien à voir à l'*extérieur* – qu'Axel se reporte sur son monde *intérieur*, celui de l'imaginaire :

> Cependant mon *imagination* m'emporte dans les merveilleuses hypothèses de la paléontologie (p. 214, mes italiques).

À ce moment-là, un véritable déchaînement se produit dans son esprit. Il voit des animaux préhistoriques (toute une liste nous en est donnée) ; comme si ce n'était pas assez, certains semblent même résulter de plusieurs animaux réunis et confondus en un seul :

> Plus loin, le pachyderme Lophiodon, ce tapir gigantesque, se cache derrière les rocs, prêt à disputer sa proie à l'Anoplothérium, animal étrange, qui tient du rhinocéros, du cheval, de l'hippopotame et du chameau, comme si le Créateur, trop pressé aux premières heures du monde, eût réuni plusieurs animaux en un seul (p. 215).

Lisons encore quelques larges extraits de ce « rêve » car il nous montre quel est l'authentique esprit du *Voyage* :

> Tout ce monde fossile renaît dans mon imagination. Je me reporte aux époques bibliques de la création, bien avant la naissance de l'homme, lorsque la Terre incomplète ne pouvait lui suffire encore. Mon rêve alors devance l'apparition des êtres animés. Les mammifères disparaissent, puis les oiseaux, puis les reptiles de l'époque secondaire, et enfin les poissons, les crustacés, les mollusques et les articulés. Les zoophytes de la période de transition retournent au néant à leur tour (p. 216).

Je poursuis :

> Toute la vie de la Terre se résume en moi, et mon cœur est seul à battre dans ce monde dépeuplé. Il n'y a plus de saison ; il n'y a plus de climats ; la chaleur propre du globe s'accroît sans cesse et neutralise celle de l'astre radieux... (p. 216).

Et encore :

> Les siècles s'écoulent comme des jours ! Je remonte la série des transformations terrestres... les vapeurs enveloppent la Terre, qui peu à peu ne forme plus qu'une masse gazeuse, portée au rouge blanc, grosse comme le soleil et brillante comme lui ! (p. 216).

Enfin :

> Au centre de cette nébuleuse, quatorze cent mille fois plus considérable que ce globe qu'elle va former un jour, je suis entraîné dans les espaces planétaires ! Mon corps se subtilise, se sublime à son tour et se mélange comme un atome impondérable à ces immenses vapeurs qui tracent dans l'infini leur orbite enflammée ! (p. 217).

Puis Axel retrouve ses esprits. Que s'est-il passé en lui ? Est-il devenu fou ? se demande même son oncle. Axel le rassure :

> Non, j'ai eu un moment d'hallucination, mais il est passé (p. 217).

Et le chapitre de se terminer sur une discrète note de confusion des éléments :

> À ces paroles, je me lève, je consulte l'horizon ; mais la ligne d'eau se confond toujours avec la ligne des nuages (p. 217).

On trouve dans ces lignes la quintessence de ce que j'aime appeler le « Voyage au centre du psychisme », ou « du subconscient ». Voyez comme les symétrisations s'y enchaînent. On croit se mouvoir dans le registre de la raison (celle de nos explorateurs scientifiques et précis en tout) et pourtant voici que l'hallucination et le rêve s'imposent à eux. Ainsi deux mondes opposés (*raison/déraison*) cohabitent-ils sous nos yeux : symétrisation ! Puis encore, nous est-il dit, dans le rêve d'Axel, c'est un *pêle-mêle* d'animaux qui surgit, prêt à confondre nos classificateurs (*classer et mélanger*, voilà bien encore deux choses symétriquement opposées). Le *temps*, on le voit, ne s'y écoule plus seulement normalement du passé vers l'avenir mais aussi en sens inverse, vers les « temps bibliques » et même plus en arrière encore. L'*espace* n'est plus fait de points distincts mais de zones mêlées (eau et nuages se mêlant au regard). *Tout se confond* en une masse gazeuse indistincte, en un grand tout liquide. Tout l'univers est en Axel (« Toute la vie de la Terre se résume en moi, et mon cœur est seul à battre dans ce monde dépeuplé... ») mais en même temps, par symétrisation, il est lui-même un simple atome de cet univers (« Mon corps se subtilise, se sublime à son tour et se mélange comme un atome impondérable à ces immenses vapeurs qui tracent dans l'infini leur orbite enflammée ! »). Au

Plus petits que les humains, les champignons sont beaucoup plus grands qu'eux : symétrisation !

total, de par ces éléments fusionnels et inversés, c'est bien dans la *Basic Matrix* où tout se confond avec tout que l'on se trouve ici plongé. Il n'y a donc pas de surprise à apprendre que, lorsque les explorateurs croisent, après leur départ de Copenhague, les côtes d'Elseneur, Axel évoque les mânes d'un Hamlet qu'il invite, du fait même de sa déraison, à être le « guide spirituel » de l'expédition :

> Sublime insensé, disais-je, tu nous approuverais sans doute ! Tu nous suivrais peut-être pour venir au centre du globe chercher une solution à ton doute éternel ! (p. 65).

To be or not to be, Philémon, écoute-moi bien, voilà la question d'Hamlet qu'Axel va résoudre en se fondant ainsi à la *Basic Matrix* de son propre inconscient. De la sorte, il se régénère, il s'imprègne de *to be*, de *Being* tout comme tu t'es gorgé de chocolat chaud et… tout comme François Mitterrand « le tellurique » s'était refait une santé ontologique dans l'autochtonie. Dans le centre de la Terre, et au centre de lui-même, Axel va chercher un « surplus d'être » en se fondant au grand tout. Son rêve en témoigne parfaitement.

– Haaaaaaah, c'est du Van Houten, ce chocolat, tu comprends que je m'en sustente quelque peu, non ?

– Je comprends. Et je quitte maintenant le « rêve d'Axel », véritable concentré de la substance du livre, pour vous évoquer quelques-unes de ses autres symétrisations importantes.

Annulation-symétrisation du temps et de l'espace

En même temps que les voyageurs font un itinéraire précis et millimétré, leurs pérégrinations confondent ces paramètres. En effet, on a pu montrer que la géographie vernienne du *Voyage* était assez fantaisiste. Ainsi Dupuy[1] a-t-il comparé le récit fait par Verne et les conséquences qu'il aurait eues en toute rigueur si les héros avaient suivi la route décrite. En recensant les indications verniennes, il a mis en évidence que celles-ci, logiquement, n'auraient pas dû conduire les explorateurs au niveau du Stromboli... mais à celui des monts Grampians en Écosse ! Tiens, chez toi, Gladys ! Simple inadvertance ou acte manqué d'écriture de Jules Verne ? Les notions spatiales s'entrechoquent donc volontiers dans le *Voyage*. Elles sont à la fois très précises – les voyageurs utilisent, par exemple, une carte de l'Islande de qualité et au 1/480 000 (p. 85) – et parfaitement anarchiques. D'où l'épisode de la boussole qui, se déréglant, inverse ses indications – pour ne pas dire qu'elle les symétrise. Le *temps* se voit également tordre le cou à de nombreuses occasions. Ainsi, les hommes préhistoriques momifiés ou vifs sont-ils présents dans les entrailles de la Terre moderne, de même que les mastodontes ou toute une collection de poissons et d'autres animaux préhistoriques réputés disparus et pourtant ici vivants. Un autre *lapsus calami*, enfin, fait que, à un moment de l'histoire, Verne dérape dans les dates en faisant arriver les explorateurs le lundi 1er juillet au fond de la cheminée centrale du Sneffels pour les en faire repartir... le lendemain mardi 30 juin[2] (p. 135) !

---

1. Dupuy L., *Espace et temps dans l'œuvre de Jules Verne. Voyage au centre de la Terre... et dans le temps*, Dole, La Clef d'argent, 1999, p. 31.
2. *Ibid.*, p. 30.

Classer devient fusionner – le sujet et l'objet se confondent

L'alternative est centrale dans ce livre. Ainsi les roches, domaine de prédilection des talents de classificateurs de nos héros, vont-elles, à la fin du roman, fusionner en une pâte de lave. La fusion est d'ailleurs un thème récurrent du roman ; au début, lorsque Axel exprime ses craintes à l'idée du parcours à venir, l'oncle n'y va pas par quatre chemins et lui demande :

> « Et tu as peur d'entrer en fusion ? » (p. 44).

On ne peut mieux situer la problématique inconsciente sous-jacente au *Voyage* car, en définitive, c'est aussi du contact de chair à chair et de sang à sang qu'il est question à propos du parcours d'Axel dans cette Terre-Mère, lui et elle mêlant à ce titre leurs substances. Ainsi, lorsque, s'étant éloigné du Hans Bach, il est perdu dans une galerie, il s'y blesse, se couvre de son propre sang et finit par perdre « tout sentiment d'existence » (p. 180) ! Autrement dit : il se dissout dans l'espace intérieur comme s'il se fondait au « grand tout » maternel, y versant, au prix d'une perte de ses limites corporelles et psychiques, ce qui le constitue intimement. Également, lorsqu'il découvre la mer intérieure, Axel, tout naturellement, s'y baigne avec un « effet très salutaire » (p. 203). Comme s'il retrouvait là le liquide amniotique d'origine ? Peut-on rêver d'une meilleure illustration du fantasme fusionnel de retour dans le ventre maternel ? En psychanalyse, on désigne par « sujet » la personne dont on parle et par « objet » celle qu'elle investit affectivement. Axel et sa mère sont réciproquement sujet et objet l'un de l'autre. Et c'est donc une *fusion sujet-objet* à laquelle nous invite le *Voyage*.

Le chiffrable devient l'infini

Dans le *Voyage*, le chiffrable tient à l'accumulation des données mathématiques. Nos héros sont de véritables calculettes, n'y revenons pas. Rappelons-nous plutôt de cette notion propre aux couches profondes de l'inconscient : les sentiments y tendent vers des intensités infinies. Or l'infini incommensurable tient une place très importante dans le roman et cela de façon concomitante (et en ce parfaitement contradictoire et symétrique) avec la précision dont il se réclame. Or encore, pour figurer l'intensité d'un sentiment, c'est un des moyens de base dont dispose l'inconscient que celui qui consiste pour lui à nous le faire apparaître sous le jour d'une dimension infinie, ou d'un nombre infini d'éléments. Le *Voyage* ne manque pas d'avoir recours à cet outil. Ainsi y voyons-nous que, dans l'univers clos de la grotte où se tient la mer Lidenbrock, c'est un infini qui s'ouvre à eux car cet univers est en effet décrit comme étant à la fois « clos et immense » (p. 193), une formule qui constitue un véritable oxymore (l'oxymore étant lui-même en linguistique, remarquons-le, une illustration parfaite de l'émergence de cette couche de l'inconscient où, symétriquement, les opposés coexistent en paix sans s'annuler l'un l'autre). Cet « océan [s'étend] au-delà des limites de la vue [et se tient dans une excavation] d'une incommensurable hauteur » (p. 193). Ce milieu donne à Axel une « jouissance infinie » (p. 197) ; les cascades qui bordent le lac sont « innombrables » (p. 197). En bref, dans le ventre de la Terre, le « trop » et l'excès sont de mise et les mots ne peuvent exprimer ces débordements :

> Les paroles me manquaient pour rendre mes sensations (p. 196).

Et :

> À des sensations nouvelles, il fallait des mots nouveaux, et mon imagination ne me les fournissait pas (p. 197).

Verne nous formule ici le message implicite : « Lecteurs, nous avons maintenant quitté la première strate, celle où les mots et les paramètres chiffrés semblaient rendre compte de tout ; nous voguons désormais en eaux inconscientes profondes : les mots y manquent, les émotions y tendent vers l'infini, vers l'innombrable, vers l'au-delà des limites. »

Dedans et/ou dehors ?

Où est-on dans le *Voyage* ? Dedans, dans une caverne maritime ? Certes. Mais en même temps, voici que celle-ci est dotée d'une atmosphère, d'un ciel et d'un horizon : ne sont-ce point là les attributs spécifiques du monde extérieur ? Et d'ailleurs, nous explique Lidenbrock, il n'est pas exclu que, « à une certaine époque » (p. 201), la Terre ne se soit invaginée en elle-même pour former ainsi de tels creux géodiques (une idée qui sera reprise à la page 258 du roman). Ou : ce qui était dehors est passé dedans… en conservant tous les attributs de l'extériorité !

Un homme préhistorique, et donc si éloigné des explorateurs, devient presque leur contemporain, leur proche : symétrie encore !

Les morts et les vivants cohabitent

L'homme quaternaire, soudain, en effet, semble à nos héros bien près d'être leur contemporain. N'a-t-il pas à la fois une belle et fraîche allure du fait de sa bonne conservation malgré ses « cent mille ans d'existence » (p. 254) ? Ne présente-t-il pas le même crâne qu'eux ? Ce qui fait dire à Lidenbrock :

> « C'est la race blanche, c'est la nôtre ! » (p. 257).

En un mot, préhistoriques et modernes semblent tout à coup aller *mano en la mano*. Et, pour parfaire le tout, si l'homme quaternaire peut ainsi être rajeuni de milliers de siècles, nos héros, eux, acquièrent « qualité de fossiles » (p. 167). Au total, qui prête à l'autre ? Le vivant ou le mort ? Par exemple, Axel, nous l'avons souligné, manque de peu de mourir à de nombreuses reprises dans la Terre. Et, par contre, Saknussemm, lui, non seulement ne semble pas y avoir trouvé la mort, mais encore y avoir acquis une espèce d'éternité, comme en témoignent la pérennité de ses dague et signature.

La raison et la folie

Je ne ferai, en mentionnant ce couple d'opposés, que reprendre des éléments déjà abordés mais que je ne voudrais pas quitter sans mettre encore une fois l'accent sur eux.

En effet, d'un côté la raison guide nos héros, et pas n'importe laquelle – celle-là même de la science et de la connaissance – et, d'autre part, la folie est un des ingrédients majeurs du livre.

Hamlet, le « rêve » – en fait l'hallucination – d'Axel sont des éléments que nous avons déjà mentionnés. Mais savez-vous combien de fois Verne indique, par un mot, puis par un autre, ou par un détour de phrase, que la folie fait partie intégrante de l'ambiance du livre ? Dites un peu…

– … (Seul le silence me répondit.)

– Voyez ! Vous avez lu le *Voyage* sans même vous y arrêter, sans même vous en rendre compte. Et pourtant j'ai compté au moins vingt et une fois où Verne y parle de folie (aux pages 29, 36, 47, 54, 59, 65,117, 151, 156, 174, 177, 180, 181, 189, 191, 192, 217, 247, 263, 288 et 289 ! P. 29 : « J'étais en proie à une sorte d'hallucination… » ; p. 36 : « comme s'il avait affaire à un fou… » ; p. 47 : « les spéculations insensées d'un fou… » ; p. 54 : « La bonne Marthe en perdait la tête. "Est-ce que monsieur est fou ?" me dit-elle », etc.). Qui dit mieux ? Je reprends donc mon expression de l'« histoire parallèle » du *Voyage* : la folie en fait bien partie ! Et si j'insiste, c'est qu'elle est comme un *switcher* permanent qui, par de petits clignotants, nous indique sans cesse : « Soyez libre, ici folie pure ! Vous voulez défier la raison : c'est tout à fait autorisé ! Le texte officiel dit : "mère perdue" : alors pensez : "mère retrouvée-fusionnée par miracle" ; la logique dit : "progression vers le nord et vers le futur" ; cela n'empêche donc nullement d'aller en même temps vers le sud et vers le passé », etc.

Est-ce que j'ai réussi à vous convaincre, *amigos* ?

– Super-intéressante ta façon de voir ! miaula Gladys de son délicieux accent. Toutes ces inversions, c'est *crazy* !

– Ça vous plaît ? Eh bien je vais tout à fait finir de vous assommer en vous montrant comment Verne articule symétrie et asymétrie de façon processuelle dans son œuvre.

– *Processuelle* ? demanda Marie.

– Oui. Voici ce que nous avons déjà dans notre panier : des éléments de symétrisation (temps, espace, vie-mort, sujet-objet…). Ce qui constitue déjà une belle récolte en soi. Mais encore faut-il établir comment ces pièces s'ordonnent dans le livre. Et c'est là qu'intervient la notion d'un processus, ou plutôt de trois processus. Je vous les détaille…

– Accrochez vos ceintures ! commenta Philémon. Ces processus sont les suivants : le premier tient au **rapport lecteur-livre**. On peut parfaitement, ayant le livre en main, aller se coucher et le lire tranquillement tout en vibrant de façon « tripale » lorsque les ichtyosaurus et plesiosaurus s'entre-déchirent sauvagement. Puis, pantoufles retirées et bonnet de nuit enfilé, on enferme ces animaux féroces dans leurs pages, on éteint la lumière et on s'endort du sommeil du juste. Autrement dit, on a effectué un « double enregistrement ». D'une part, les éléments étaient déchaînés dans le livre mais, en même temps, « ce n'était qu'un livre ». Dans le récit même, on l'a vu, la coexistence des contraires est concevable, ils sont compatibles et, d'autre part, pourtant, il n'est pas un instant où l'on ne sache qu'ils ne le sont pas (« ce n'est qu'un livre »). En effet, l'esprit rationnel, celui qui a choisi un ouvrage sur une étagère et non un animal préhistorique, sait bien qu'il lit et non qu'il vit ces choses impossibles à concilier. Le « ce n'est qu'un livre » nous indique que l'aventure extraordinaire et incroyable ne se déroule pas en « grandeur nature » mais seulement dans l'espace d'un ouvrage très raisonnable, celui d'un livre, c'est-à-dire d'un outil qui, par définition, sert à exposer le rêve sans le confondre avec la réalité, d'un outil qui, de la sorte, certes, nous montre la symétrie, *mais de la symétrie sertie dans de l'asymétrie.*

– J'ai le vertige !

– Accroche-toi donc à ta chaise, Philémon ! Et permets-moi de poursuivre car l'enjeu est de taille : la position du lecteur est donc celle qui, par définition, lui permet de contempler d'un seul regard, simultanément symétrique et asymétrique, un panorama élargi et inhabituel du psychisme, embrassant conscient et inconscient et lui procurant ainsi un vif plaisir intellectuel. Et de ce même fait se dégage encore un autre agrément de lecture que l'on pourrait dire « thérapeutique ». Expliquons-nous. En pathologie un certain nombre de souffrances apparaissent parce que le sujet est fixé à un seul niveau de fonctionnement, à une seule strate, profonde, qui ressurgit et vient court-circuiter et envahir les strates superficielles. Exemple déjà cité : un phobique des ascenseurs ne vit ceux-ci, lors de ses moments de panique, que comme des gouffres et non pas comme ayant simplement une analogie avec eux. À l'inverse, si l'on voit un film qui a pour thème un homme phobique des hauteurs et ses peurs – pensons par exemple à *Sueurs froides*, de Hitchcock – on peut comprendre ces dernières ; on est invité à s'identifier à cet homme, on assiste aux manifestations de son angoisse, voire on peut les partager. Mais, en même temps, on sait bien que « ce n'est qu'un film ». Ainsi cette liberté que nous trouvons à pouvoir aller et venir entre le niveau conscient (celui d'une pensée relativement dégagée des émotions – du « ce n'est qu'un film ») et les niveaux inconscients (ressentis avec une grande intensité émotive), constitue-t-elle le ressort du succès de nombreux spectacles ayant pour contenu celui de la peur (films d'horreur, de violence, etc.). Et c'est donc pourquoi l'on peut dire qu'un livre comme le *Voyage* a une dimension « thérapeutique » : il permet des allers et retours entre des angoisses massives inconscientes (à deux mètres de nous des

S'enfoncer dans les profondeurs du psychisme

monstres nous menacent et s'entre-tuent) et la domestication de ces mêmes angoisses par la pensée consciente.

– Ah, ah ! c'est pour ça que Hollywood gagne tant de sous avec la peur ! s'écria Marie.

– Hé oui, répondit Philémon. Mais laissons continuer le professeur Cosinus. Professeur, nous sommes toute ouïe, comme dirait la truite...

– Deuxième point structurel du *Voyage*, celui de son **architecture interne**. Souvenez-vous des images que nous avions dans nos salles de classe à l'école primaire. On y voyait illustrés de grands thèmes : « La ferme », « La caserne des pompiers », « Les animaux des forêts », etc. Là, personnages et animaux s'affairaient sous nos yeux de façon démonstrative pour couvrir le champ des activités imaginables en fonction des sujets concernés. Eh bien, le *Voyage* a ceci de particulier qu'il est comme une de ces vues, *une vue qui serait cette fois-ci celle du psychisme en coupe*, un peu comme si lui aussi pouvait bénéficier d'une telle image démonstrative : de la surface de la Terre à sa profondeur on s'y enfonce en même temps dans les entrailles du globe et dans celles de l'inconscient.

Ce recoupement de la forme et du contenu du *Voyage* rend assurément donc compte lui aussi d'un de ses charmes inconscients.

Et enfin il y a la **gestion de l'angoisse** que propose le *Voyage*. On peut en effet, schématiquement, décrire ce dernier point en trois parties :

• La première est celle où la logique consciente prédomine. Nous sommes à tel endroit (Hambourg), on va aller à tel autre (le Sneffels), à telle heure, dans telle direction ; les protagonistes sont des scientifiques, des classificateurs, etc. : les informations claires prédominent (= première et deuxième strates). Cependant, dès ici, l'arrière-plan inconscient est celui d'une oralité qui se profile… mais qui, justement, reste néanmoins en arrière-plan ; et l'on n'observe pas de court-circuit entre les niveaux conscient et inconscient faisant que ce dernier pourrait envahir le devant de la scène.

• Deuxième temps : on plonge dans la Terre. Tout devient alors de plus en plus confus et un paroxysme est même atteint lors du « rêve » d'Axel où l'on en arrive à un tel point de mélange entre les registres que l'on ne sait plus ce qui ressortit à l'imagination, à la vision, à l'hallucination, ou à la simple perception de la réalité (strate profonde). Axel est-il devenu fou ? se demande même son oncle. Fou, c'est-à-dire qui laisse s'exprimer à ciel ouvert ses angoisses les plus désordonnées et les plus profondes. De vision en imagination, d'inversions du temps et de l'espace et de rencontres avec des êtres préhistoriques mais vivants en confusion sujet-objet, on en arrivera ainsi à une conclusion qui pourrait bien se révéler tragique : tout se fond et n'est plus que lave… mais un *happy end* survient et l'on ressort sur le Stromboli. Tout va bien… presque bien… car, ah ! cette maudite boussole ne se décide pas à fonctionner correctement et elle ne livre pas le mystère de son dérèglement… : les contraires coexistent donc encore allégrement.

• C'est alors qu'intervient le troisième temps : il tient en quelques pages dans le roman, celles de sa toute fin (p. 305 et 306). C'est celui du moment où l'ordre et la raison reprennent le dessus. Axel et Lidenbrock sont rentrés à Hambourg. La gloire les porte désormais.

> Mais un ennui, disons même un tourment, se glissait au milieu de cette gloire. Un fait demeurait inexplicable, celui de la boussole ; or pour un

> savant, pareil phénomène inexpliqué devient un supplice de l'intelligence… (p. 305).

Pourquoi donc cette boussole a-t-elle indiqué la mauvaise direction ? Axel trouvera la solution. Il constatera qu'elle a été inversée dans sa polarité et que son aiguille montre le sud et non le nord. Puis il comprendra pourquoi : c'est du fait de la boule de feu qui avait aimanté tout le radeau et qui, ainsi, avait désorienté le magnétisme de l'instrument (p. 306). Il reste alors en tout et pour tout onze lignes au roman pour se conclure. Elles serviront à évoquer comment Axel et Graüben se sont mariés et comment, de ce fait, cette dernière… quitte à nous répéter quelque peu, commentons encore une fois ce passage :

> abdiquant sa position de pupille *prit rang* dans la maison… en la double qualité de *nièce* et d'*épouse* (p. 306, mes italiques).

Ainsi, dans le *Voyage*, le nom de chacun dans une famille est ici redéfini au mieux après que les règles de la raison ont réordonné la compréhension des phénomènes physiques. Chaque chose et chaque phénomène physique trouvent donc à nouveau leur place : en d'autres mots, l'asymétrie règne sans conteste.

Autrement dit encore, le roman nous a donné à voir un monde ordonné (la raison règne, l'inconscient est bien présent mais il reste quiescent et ses symboles sont tout juste là en arrière-plan, désignant la dimension d'oralité) ; puis un monde désordonné se déploie devant nous (celui des couches inférieures occupant le devant de la scène) ; puis enfin à nouveau un monde ordonné se reconstitue. Au total donc, le *Voyage* contient ce message au lecteur : « Embarque-toi en moi, nous allons plonger dans la déraison la plus pure... mais n'aie pas peur : vois comment nous en ressortirons aisément et comment l'ordre triomphera à nouveau. » C'est donc en ce sens que je dirais volontiers que le *Voyage*, c'est aussi un peu « l'histoire de l'angoisse générée par le désordre – angoisse qui se déchaîne – puis qui se résorbe d'elle-même par un retour à l'ordre ».

– Et de tout ceci, tu tires quelle moraaaaale ? dit alors Philémon dans un bâillement considérable.

– J'en tire la « moraaaaale » suivante : premièrement que le moment du mot « Fin » de mon exposé est venu : nous allons nous interrompre. Et deuxièmement, je pense avoir ainsi mis en évidence un ressort fondamental du plaisir que des générations et des générations de lecteurs ont pris à lire le *Voyage*. Cet agencement où l'on passe du monde conscient au monde inconscient en toute liberté, de la claire définition scientifique d'une aventure à ses soubassements inconscients chaotiques et vice versa, où Verne nous fait connaître à la fois la gamme narrative événementielle ordonnée et celle des vibrations inconscientes, c'est bien en lui que se situe son génie, son très grand génie d'auteur. La gloire de Verne ne tient ainsi pas qu'à sa clairvoyance de l'avenir scientifique, comme on l'a souvent dit si fort : elle provient, au moins en aussi grande partie, de sa capacité instinctive à se faire ainsi auteur psychologique.

– Et quel but tu donnes à tout ça, si je peux me permettre de repousser ma question d'un cran supplémentaire ? proposa à nouveau Philémon.

– Non seulement tu peux mais tu as raison de le faire. La raison finale de tout ceci ? Pour la trouver : cherchez la femme ! Ce sera l'objet de mon prochain et dernier exposé...

Le moment était venu de repartir. Nous payâmes nos nuitées. Dehors le temps était au beau fixe. Il fallut bien s'enduire de crème solaire. Nous skiâmes toute la journée sous un grand soleil. Et, le soir, le car nous ramena à Grenoble, puis le train nous bringuebala toute la nuit durant pour nous ramener au petit matin, quelque peu fourbus mais heureux, à nos pénates nantais et verniens.

Résumé du chapitre

Grâce aux notions matte-blanquiennes établies dans le chapitre précédent, il ressort que le *Voyage* nous donne à voir :

– une série de symétrisations de couples d'opposés : temps allant vers le futur/vers le passé ; espace ordonné/confus ; classification/confusion ; chiffrable/incommensurable ; dedans/dehors ; mort/vie ; raison/folie ;

– une plongée dans la confusion propre à l'inconscient profond. Exemple : au fond de la Terre, c'est-à-dire métaphoriquement au fond de son propre psychisme, Axel, en une hallucination oniroïde, confond toutes les périodes de la création et se confond lui-même avec l'univers dont à la fois il se sent être le centre et un simple atome.

Ces différentes notions se conjuguent et permettent d'établir que le *Voyage* est une véritable aventure inconsciente dont le but est de permettre une fusion d'Axel avec sa mère perdue et retrouvée.

6

Voyage au centre de la Terre-Mère

« Les souvenirs de mon enfance, ceux de ma mère que je n'avais connue qu'au temps des baisers, revinrent à ma mémoire. »

Voyage au centre de la Terre, p. 177.

« Ce qui était recherché, c'était la fécondation de la mère par le fils qui veut renaître au travers d'elle et tous les mythes représentent symboliquement ce trajet de l'union de la mère-épouse avec le fils. »

Pigott C., *Les Imagos terribles.*

Nous nous étions cette fois-ci rendus à Montolieu, le « village du livre », le pays de Cocagne des amoureux du vieux papier, à proximité de Carcassonne. Un libraire spécialisé sur Jules Verne nous avait trouvé une édition originale du *Voyage*.

Puis nous avions pris la direction du gouffre de Cabrespine, une énorme grotte naturelle non loin de là. L'administration qui la gère organise, en toutes sécurité et tranquillité, des visites pour spéléologues amateurs, c'est-à-dire pour M. et Mme Tout-le-monde. Aventuriers dans l'âme, mais aussi pantouflards de cœur, nous ne voulions pour rien au monde perdre cette occasion de goûter, nous aussi, mais sans danger, aux entrailles de la Terre. Nous avions donc réservé les services d'un guide pour une expédition dans ledit gouffre, expédition qui devait se faire nuitamment.

C'était l'été et juillet dardait ses rayons. En nous levant dès trois heures du matin, nous avions voyagé à la fraîche, grâce aux bons services de l'infatigable break Volvo 1975 d'un Philémon qui ne pouvait se décider à rompre avec cette

« demoiselle connue dans sa jeunesse » – entendez par là son auto ! (D'ailleurs, au grand dam de Gladys, il développait presque une activité parallèle de ferrailleur-casseur dans son garage où il entreposait un moteur d'occasion pour le cas où le sien, ayant déjà 429 000 kilomètres au compteur, viendrait à tirer sa révérence, mais aussi des jantes de rechange, des phares récupérés dans des casses, etc.) Selon lui, chaque voyage dans ce véhicule était un petit retour dans le passé, une espèce, modeste mais non négligeable, de *Voyage extraordinaire* apportant son lot de plaisirs nostalgiques.

En fin d'après-midi, nous nous rendîmes au gouffre. Nous avions réussi, en nous présentant assez à l'avance et en faisant valoir notre qualité de membres du bureau officiel de l'Association internationale des Amis de Jules Verne, à obtenir la possibilité d'une nuitée complète sous Terre.

La descente fut bonne. Nous fûmes assez rapidement rendus au fond, et ce par une galerie nouvelle, récemment découverte et dont on avait bien voulu nous faire l'honneur.

Une fois arrivés là, je devais faire encore un exposé, le dernier de cette série portant sur le *Voyage* (c'est d'ailleurs pour fêter cet événement que nous avions décidé de venir le célébrer en quelque profondeur du globe). Je commençai donc :

– Du bas de ce gouffre, quarante mille siècles nous contemplent… et vous me voyez presque gêné ! J'ai parlé d'abondance lors de nos précédentes rencontres et, aujourd'hui, je me vois contraint de pratiquer la « politique du radis ».

– La « politique du radis » !?

– Pas compliqué. Cela veut simplement dire que si mes exposés précédents ont été touffus, et peut-être même fatigants à suivre par moments, aujourd'hui, ce que j'ai à vous dire tient, en substance, en fort peu de mots (quoique importants néanmoins). Donc, tout comme le corps du radis est ventru et sa pointe brève avant que de s'étirer en une queue effilée sans fin, si mon développement a été nourri, sa conclusion sera rapide et, enfin, ensuite, elle s'effilochera en quelques commentaires supplémentaires. Corps ventru, pointe brève, queue fine : c'est ça la « politique du radis de l'orateur ».

– Très bien, en avant pour la pointe et vivent les radis ! dit en levant son verre notre amateur de Volvos.

– Voici cette conclusion. Elle a déjà été ébauchée lors de nos précédentes rencontres. Je vous distribue un premier feuillet.

En un mot, le cœur du *Voyage*

Le héros se fond dans la Terre : il y verse son sang, il y perd même son être et s'y baigne dans une mer-liquide-amniotique. Autrement dit, il se réunit ainsi avec sa mère perdue, il y connaît une fusion avec elle, qui est comme la réalisation d'une anastomose existentielle entre eux deux. La fusion : il n'y a pas de meilleur antidépresseur pour ceux qui, justement, souffraient de s'être mutuellement perdus.

– Une « anastomose existentielle », bigre de pou à barbe ! Tu n'y vas pas avec le dos de la cuillère, commenta Philémon qui se resservait à boire jusqu'à ras bord de son gobelet en plastique orange. C'est-y pas de l'expression du terroir intello, ça ?

– « Pas de meilleur antidépresseur » : *why that?* demanda Gladys, qui avait écarté la bouteille de vin de la portée de son épicurien époux.

– C'est évident : le sentiment de dépression est lié à la séparation, à la perte, à l'abandon. Or, si l'on fusionne avec qui l'on a perdu, on s'« antidéprime » à l'évidence. C'est bien ce bénéfice que se partagent Axel et sa Terre-Mère. Il lui offre son être et presque sa vie. Consenti par Axel, le risque de mort aboutit d'ailleurs presque à plusieurs reprises. Et, elle, s'égaie à ce contact renouvelé. C'est ce que je veux voir dans le contraste qui existe entre l'Islande du Sneffels et la Sicile du Stromboli.

– Comment cela ?

– La Terre, Marie, qui nous est dépeinte dans l'ouvrage de Jules Verne montre la façon dont la mère y est vécue. Or, la terre d'Islande est éminemment triste et la terre de Sicile, elle, par contraste, extrêmement joyeuse. Un nouveau feuillet va vous le démontrer… Le voici :

Tristesse de l'Islande

– « J'eus bientôt arpenté ces voies mornes et tristes ; j'entrevoyais parfois un bout de gazon décoloré, comme un vieux tapis de laine râpé par l'usage, ou bien quelque apparence de verger, dont les rares légumes […] ; quelques giroflées maladives essayaient aussi de prendre un petit air de soleil » (p. 70) ;

– « J'essayais en vain de surprendre un sourire sur leur visage [des habitants de Reykjavik] ; ils riaient parfois par une sorte de contraction involontaire des muscles, mais ne souriaient jamais » (p. 72) ;

– « Les femmes, à la figure triste et résignée… » (p. 73)

etc. (il est inutile de multiplier les citations concernant la morosité de l'Islande).

Gaieté du Stromboli

– « Lorsque le regard franchissait cette verdoyante enceinte, il arrivait rapidement à se perdre dans les eaux d'une mer admirable ou d'un lac, qui faisait de cette terre enchantée... » (p. 296) ;
– « Cependant nous rapprochions de cette verdure qui faisait plaisir à voir. [...] une jolie campagne s'offrit à nos regards, entièrement couverte d'oliviers, de grenadiers et de vignes qui avaient l'air d'appartenir à tout le monde. [...] Quelle jouissance ce fut de presser ces fruits savoureux sur nos lèvres et de mordre à pleines grappes dans ces vignes vermeilles... » (p. 298)
etc.

– *Y'a d'la joie...*

– Comme tu dis, Philémon ! On entre par un volcan triste à en pleurer et on ressort par un autre sur les pentes duquel tout est riant ! Et même où un enfant apparaît soudain au regard des explorateurs « ... entre deux touffes d'olivier » (p. 298) ! L'Islande n'est que désolation et terres quasi stériles tandis que le paysage qui s'offre aux yeux de nos héros sur les pentes du volcan méridional n'est qu'arbres fruitiers, source et soleil. On voit donc comment la Terre a été consolée entre-temps par Axel !

– Et lui ?

– Quant à Axel, Gladys, le voici après ce voyage à même d'épouser sa promise, autrement dit de faire son chemin à lui, de s'épanouir. Donc, nous y voilà, le sens du *Voyage* tient à ceci : Axel était orphelin et lui et sa mère mélancoliques de leur séparation ; le *Voyage* les a fait fusionner ; rassérénés, ils peuvent se séparer et, désormais, ni lui ni sa mère ne connaissent plus la peine intérieure qui était auparavant la leur. Je vous le répète : la Terre, de tristement islandaise, est devenue gaiement sicilienne ; et Axel, de l'orphelin angoissé qu'il était, s'est transformé en un jeune et glorieux conquérant. Tout le monde est « guéri ». Élémentaire, non ?

– Effectivement, simplissime même. Mais, mon bavard de mari, je suis sûre que, même si tu nous affirmes que là se tiennent le centre de ton propos et sa conclusion, tu ne vas tout de même pas en rester à ces quelques mots pour aujourd'hui. N'est-ce pas ?

– Oui, il reste quelques autres points à développer et je vais le faire mais, en somme, ils découlent de ce que je viens déjà de vous dire. Le premier de ces autres points est celui de l'« auto-engendrement ». Vous vous souvenez que j'ai pris soin de vous montrer que le *Voyage* comportait une valence œdipienne, n'est-ce pas ?

– Tout à fait. Tu nous as expliqué également que l'Œdipe, ce n'était pas que le désir de s'accaparer le parent du sexe opposé, notamment amoureusement, mais aussi l'interdiction intériorisée de satisfaire ce désir.

– 20 sur 20, Gladys ! Tu m'as parfaitement compris et retenu. Mais maintenant je vais vous démontrer... le contraire de ce que j'ai dit précédemment ! Le *Voyage*, c'est en effet aussi une affaire de satisfaction inconsciente incestueuse. Par quel moyen ? Le suivant : il permet à son lecteur de vivre une fiction dans laquelle il s'identifie à un héros qui pénètre sa propre mère pour lui faire concevoir... lui-même... qui naîtra d'elle à la fin du livre. De par un rapport avec sa mère, il s'engendre de la sorte lui-même et c'est pourquoi je vous parlais d'« auto-engendrement ».

– Attends, dit Philémon, tu es sûr de ne pas avoir « abusé de la moquette » ces derniers temps ? Pénétrer sa mère, je veux bien, si j'ose dire, mais la pénétrer pour se faire naître soi-même, c'est-à-dire être à la fois soi-même, son propre père et son propre fils! Euh... tu n'as pas l'impression qu'il y aurait comme une faute de configuration dans ton montage? Franchement, si tu penses régulièrement comme ça, je ne te prendrai pas comme électricien pour refaire le faisceau électrique de ma Volvo! À moins que je ne souhaite pouvoir déclencher le klaxon en actionnant le clignotant!

– Pas de panique! Je m'explique, je m'explique. Évidemment, Philémon, si je crois vraiment que je peux m'engendrer moi-même en engrossant ma mère, tu as raison de ne pas me faire confiance et, pour le dire simplement, tu pourrais même alors me considérer à juste titre comme franchement délirant. Par contre, si tu veux bien considérer un instant que ce que je te dis concerne les dérives de la logique que l'on observe dans l'inconscient, alors tu peux te tranquilliser. Car dans celui de tout un chacun – tu m'entends, de tout un chacun, et du tien autant que du mien –, de telles pensées naissent bel et bien. Cet auto-engendrement fantasmatique peut d'ailleurs être parfaitement spontané, à la manière de Dieu («Je suis né de moi-même; je me suis autocréé de façon totalement autonome; je n'ai eu besoin de personne pour cela»). Ou bien il peut résulter de l'union amoureuse d'un enfant avec l'un des parents, comme c'est le cas dans le *Voyage*. Les deux éventualités sont envisageables pour l'inconscient le plus banal. Et quand ces fantasmes d'auto-engendrement envahissent-ils la conscience? Lors du rêve, ou de façon plus travestie par le refoulement, dans les rêveries, dans les romans, ou enfin, à visage découvert, lors du franc délire qui est, lui, de l'inconscient mis à nu et sans refoulement.

– Ou encore dans les mythes, je suppose. Par exemple, Athéna, la vierge, naît du cerveau de son père Zeus. Ça n'est

Scène primitive : l'enfant se pense conçu au cours d'un rapport sexuel entre ses parents qu'il imagine pétri de violence

pas tout à fait de l'auto-engendrement, mais c'est un peu emberlificoté tout de même comme naissance, et la mère n'y tient aucune place, n'est-ce pas ?

– Oui, Gladys, les mythes font partie de ces théories fantaisistes que bricole notre imaginaire et qui cherchent à se passer du « nécessaire-couple-père-mère-pour-fabriquer-un-bébé ». Ici, effectivement, il ne se trouve pas de mère pour qu'Athéna naisse.

– Bon, dit Philémon, une fois tu nous expliques que le *Voyage* c'est de l'Œdipe, et donc de l'interdit de l'inceste, et la fois d'après tu nous montres que c'est de l'inceste : est-ce donc l'un ou l'autre ?

– Les deux, mon général ! Et pour mieux vous le faire comprendre, je sors ma botte secrète : j'ai nommé le concept de l'*Antœdipe*.

– Ah ! On avait l'Œdipe, mais comme cela ne suffisait pas, il nous faut l'Antœdipe maintenant. C'est quoi, Mister Freud, ce binz ?

– Philémon, ce binz, comme tu l'appelles, nous le devons à Paul-Claude Racamier, un fameux théoricien et clinicien, disparu il y a peu, en 1996 précisément. Et, de plus, un auteur à la grande élégance de plume. Dans sa somme, *Le Génie des origines*[1], il montrait ce qu'était ce concept, ainsi que celui du *deuil originaire*. Et d'ailleurs aussi celui de l'*auto-engendrement*, que nous avons déjà entrevu mais sans citer son créateur. Ce qui est chose faite désormais… Prêts ?

– Toujours prêts ! répondirent en chœur mes ouailles.

Notre guide nous regardait, lui, d'un œil flegmatique, comme s'il lui en avait fallu plus pour l'étonner et comme

1. Racamier P.-C., *Le Génie des origines. Psychanalyse et psychoses*, Paris, Payot, 1992.

si nous ne lui étions pas plus étrangers, malgré nos élucubrations psychanalytiques, qu'une de ces chauves-souris qui constituaient son entourage habituel.

– Une précision tout d'abord. Le deuil originaire est cette figure de l'inconscient par laquelle le moi fait le deuil, non pas d'un(e) mort(e), comme son nom porterait à le croire, mais celui d'une relation. Il renonce de son fait à penser, à espérer et à ressentir qu'il vibre à l'unisson avec son objet d'amour primaire, originaire, c'est-à-dire avec sa mère.

– Il n'y a pas d'amour heureux…, commença à chantonner Philémon.

– Il n'y a pas d'amour *complètement* heureux. Et, en particulier, dans la relation qu'a le jeune enfant avec sa mère, il est important que l'un et l'autre ne se satisfassent pas complètement réciproquement, que ce ne soit pas une fusion qui les lie mais qu'au contraire une certaine marge de séparation existe entre eux. L'enjeu est majeur. En effet, s'il n'y a pas de séparation, il n'y a pas d'individu. Si, par exemple, la mère pense : « Mon fils a faim », parce qu'elle-même a faim, et pas forcément lui, elle ne laisse pas ce dernier se connaître de l'intérieur en tant qu'individu doté de ses limites et de ses besoins propres. Ou, si elle pense : « J'ai mal à la tête, donc il faut que je lui donne de l'aspirine », alors elle en fait un appendice de sa propre personne. Au total, pour se connaître soi-même, et pour connaître la mère comme individu séparé de soi – les deux vont ensemble car ils supposent un écart entre deux personnes autonomes se prenant en compte l'une l'autre –, il faut qu'une séparation soit advenue entre elles. Et une séparation, par définition, ça fait mal. C'est cette séparation psychique première et douloureuse, aboutissant à la reconnaissance personnelle et mutuelle des deux protagonistes, que Racamier a appelé le deuil originaire. Par lui le moi renonce à la possession totale de l'objet d'amour – c'est un *deuil* – et, par lui encore, le moi peut donc commencer à exister – en ceci, il est un processus *originaire*.

– Ce qui apparaît comment dans le *Voyage* ?

– En ceci, Marie, que ce deuil, cette séparation, y entre en relation dialectique avec l'Antœdipe. La séparation d'Axel et de sa mère se joue ainsi : elle est tout d'abord totale car, orphelin, il l'a perdue dans ses plus jeunes années ; puis c'est vers la non-séparation, vers la fusion que va le roman ; enfin, une « séparation à l'arraché » s'effectue, celle de l'éjection-accouchement par le Stromboli. Une séparation qui est, nous l'avons vu, symboliquement parachevée par la présence du poignard d'A.S. : il y a « du père » qui sépare Axel de la mère et lui interdit d'entrer en fusion avec elle. Or l'Antœdipe est une formation inconsciente qui, elle, à l'opposé, lutte contre la séparation et propose comme horizon celui de la fusion incestueuse. Évincer le père, s'unir à sa propre mère pour s'auto-engendrer soi-même au travers du corps de la mère, c'est en effet la figure que prend volontiers ce concurrent d'un Œdipe qui, lui, veut que l'on naisse d'un père et d'une mère et que le parent désiré soit interdit. Ces deux géants, Œdipe et Antœdipe, se combattent dans notre inconscient et ils nous sont donnés à voir directement dans le *Voyage*.

– O.K., on a de l'inceste et pas de l'inceste en même temps dans le *Voyage*, de l'Œdipe et de l'Antœdipe, comme tu dis. Mais comment fait-on pour s'y retrouver ? C'est plutôt l'un, plutôt l'autre ? Les deux ensemble ?

– Bonne question, Philémon. Il n'y pas que Gladys, à ce que je vois, qui prenne de la graine psychanalytique. Et le point que tu soulèves est d'autant plus important que, sans inceste, sans Antœdipe, il n'y a pas de vie.

– Comment ça !?

– Sans inceste *fantasmatique*, j'entends encore une fois, bien entendu. C'est-à-dire que, pour se sentir vivre, il faut avoir puisé fantasmatiquement à la lave – je pèse mes mots, nous parlons d'un *Voyage* volcanique ! – de la « substance psychique commune » qui unit l'enfant à sa mère, celle dont ils tirent le « limon », comme dit encore Racamier, qui les vitalise tous deux.

Pour m'expliquer sur ce point, je vais d'ailleurs plutôt suivre un exemple qu'un raisonnement théorique.

Ainsi, je me souviens d'avoir vu une fois le spectacle suivant. Il s'agissait d'un petit bébé, d'avant même l'âge de la parole, qui s'énervait et pleurait tout ce qu'il savait. Il n'y avait pas moyen de le calmer et, autoentretenus, ses pleurs redoublaient d'intensité. On voyait bien qu'il était épuisé mais il n'arrivait cependant pas à s'endormir ; bien au contraire, son irritation et sa colère se nourrissaient d'elles-mêmes. Puis, après une bonne heure de ce triste spectacle, sa mère, qui s'était absentée, est enfin rentrée à la maison. Elle l'a pris dans ses bras, ils se sont regardés une seconde et l'enfant a clos ses paupières comme ces poupées dont les yeux se ferment lorsqu'on les renverse. Instantanément apaisé par le regard de sa mère, il s'était endormi sans plus de délai. Ce que ce nourrisson nous montrait, c'était qu'une partie de son psychisme était « dans celui de sa mère » : elle était le « complément organique » de sa possibilité de se calmer et la prolongation de son organisation neurophysiologique. La fusion, ce pourrait être cela : une partie de l'un et de l'autre se révèlent à leur contact réciproque, comme la fleur à la fois éclôt de la lumière et démontre que cette dernière est bien présente et agissante. Le bébé est anastomosé à la mère ; et elle-même est « faite mère » par ce bébé en attente de la fusion avec elle. De par cet accord magique, ils se font exister mutuellement en tant que mère et bébé. Tout ceci pourrait illustrer l'Antœdipe « tempéré », celui qui fait intégrer à l'enfant une présence extérieure dont la proximité va pouvoir être intériorisée par lui et, bienveillante, le sécuriser à vie. Pour prendre une comparaison matérialiste à la façon de Philémon, je dirais qu'il a ainsi pu enregistrer dans son inconscient un « logiciel » qui est celui de la « fonction bonne mère pour lui » : il sait, il ressent que la vie est de son côté et qu'une « bonne fée » existe, désormais installée en lui quoi qu'il arrive. Cette fleur sait que, même lorsqu'elle est dans l'obscurité, le soleil brille pour elle.

– Après la pluie vient le beau temps… (Philémon.)

– … Mais, à côté de cet Antœdipe « tempéré », il y a par contre le « furieux », et je me souviens, à ce propos, d'une autre mère qui ne quittait jamais son nourrisson et qui, anxieuse, guettait tous ses gestes et craignait en permanence qu'il ne meure. Elle avait d'ailleurs déserté le lit conjugal pour dormir avec son enfant afin de mieux le surveiller et, à peine celui-ci éveillé, elle lui donnait le sein. L'enfant avait de la sorte développé une insomnie rebelle et ne pouvant cesser qu'à la prise d'un mamelon qu'il avait fini par avoir en bouche presque toute la journée, faute de quoi il entrait dans de terribles colères.

– Mais dans les deux cas, il y a fusion !?

– Oui, Marie, mais nuançons : dans le premier, *un moment* privilégié montre comment l'enfant en besoin d'affection fusionnelle peut trouver celle-ci à portée de sa main et, à partir de là, s'en constituer une référence interne. Car cet enfant-là, en temps ordinaire, pouvait se calmer de lui-même ; d'ailleurs il dormait seul depuis longtemps dans sa chambre, et d'un sommeil de qualité, équipé qu'il était de son « logiciel » de réassurance. Le deuxième cas est par contre celui d'un accolement pathologique : deux corps y sont *en permanence* nécessaires pour faire fonctionner un seul psychisme, celui d'une unité mère-enfant insécable. Jamais en effet ce petit, à l'inverse du précédent, n'était capable de se tranquilliser seul. C'est d'ailleurs ce qui fait toute la différence entre ces deux enfants ; l'un avait « gravé » en lui le bonheur de la fusion et, une fois seul, il pouvait se référer à ce « logiciel » inconscient pour s'apaiser, tandis que l'autre avait besoin de trouver en permanence cette fusion dans la réalité extérieure l'entourant.

– Ah, ah ! dit Philémon. Si j'aime simplement faire de temps en temps un petit tour avec ma Volvo, c'est du tout bon, c'est de l'« Antœdipe automobile tempéré ». Je l'aime comme un contenant maternel que je sais disponible et que je peux retrouver lorsque je le veux pour m'y couler, m'y fondre, m'y étaler, m'y vautrer. Mais je ne suis pas pour autant obligé de le faire en permanence. Par contre, si je me mets à ne plus pouvoir dormir que dans mon garage et, plus précisément, dans le coffre de ma Volvo – ne me regarde pas comme ça, Gladys ! – et que, de surcroît, si je viens lors d'une manœuvre à froisser une de ses ailes, j'ai alors mal à mes côtes, alors là je fais de l'« Antœdipe automobile furieux » ; c'est de la toxicomanie ! Je suis intox, accro ! Je me prends pour une partie de ma bagnole, et réciproquement !

– Que j'aime tes comparaisons matérielles toujours si élégantes, Philémon : elles disent bien ce qu'il en est. Puis-je continuer ?

– Tu puis… de Dôme même, vas-y.

– Merci, Philémon. Ainsi, je viens de vous montrer ce qu'était l'Antœdipe. Grâce à lui, nous avons compris que tout individu avance sur une ligne de crête où il considère d'une part qu'il est le fruit d'une conception due à la rencontre de deux êtres de sexes opposés, son père et sa mère, et, d'autre part, qu'il est auto-engendré. Sans ces deux versants conjoints, la vie est difficile. Sans assez de « délire » (inconscient) de fusion avec la mère, la confiance en soi n'a pas été assez nourrie et le monde qui nous entoure ne nous apparaît pas assez familier. Il n'y a pas eu de mise à un moment en notre esprit de la « bonne étoile » dont on pourra ensuite sentir qu'elle veille sur nous en permanence. À l'inverse, s'il n'y a que délire de fusion, le monde est particulièrement angoissant car l'individu, confondu avec son objet d'amour, est, de ce fait même, sans limites, voire psychologiquement inexistant en tant que personne.

– Et ça sert à quoi tout ça dans le *Voyage* ? demanda l'infatigable Philémon.

– Sers-moi un verre de vin et je te réponds.

– O.K.

Je bus le verre en dégustant sa saveur, étrange, dans ce monde du silence. Personne ne parlait. On entendait une goutte d'eau marquer un tempo régulier au loin. Une stalactite naissait sûrement là, rendant minuscule l'échelle de notre temps humain. Notre lampe électrique distribuait une lueur blafarde qui faisait de grandes ombres aux traits de nos visages, comme si, soudain, nous étions devenus les héros de quelque film d'horreur. Sûrement la fatigue du voyage automobile et le « chaud et froid » lors de l'entrée dans la grotte (il y faisait quatorze degrés en permanence) imprégnaient-ils leurs marques sur mon esprit. Autour de nous le noir et le silence étaient absolus. Un sentiment troublant me gagnait et j'eus à un moment l'impression subtile de me dédoubler. Je sentis le vin couler dans ma gorge et son goût voluptueux s'épanouir en moi. Mais, en même temps, c'était... comme si seule ma bouche avait existé et que le reste de mon corps et de mon être... continuaient à être là... et avaient pourtant disparu. Je me mis à plaindre sincèrement Axel, Otto et Hans pour leur longue errance souterraine : quelle angoisse avait dû être la leur dans ce monde décoloré que j'apprenais maintenant à connaître ! Mais je rentrai bientôt en moi-même et une grosse bouchée de roquefort reconstituant avalée goulûment me permit de continuer :

– Donc, « à quoi ça sert ? » demandais-tu. À ce qui suit. La mère est morte et Axel la pleure : on ne peut qu'évoquer ici le complexe de la mère morte qu'a décrit un psychanalyste contemporain, André Green[2]. Par « morte », ce dernier n'entend d'ailleurs pas lui non plus que la mère soit réellement morte mais plutôt qu'elle présente un endolorissement qui, à un moment, la fait s'éloigner psychiquement de son enfant, toute consacrée à sa souffrance personnelle qu'elle est alors. La voici de la sorte psychiquement morte pour son enfant alors qu'auparavant elle lui était présente. Cet auteur indique aussi que l'on peut rencontrer d'autres conjonctions, assez proches de ce complexe.

Je pense que celles où la mère est réellement morte, comme c'est le cas dans le *Voyage*, en est une et qu'elle peut engendrer le cercle vicieux suivant : « Ma mère est morte/Donc je l'ai tuée/Donc elle voudra se venger de moi, ce que je mérite/Et les identifications qui me lient à elle feront qu'une partie de moi sera comme morte, un peu comme un arbre qui, bien que vif, peut porter quelques branches mortes sur son tronc/Ceci pourra se traduire en

2. Green A., « La mère morte », in *Narcissisme de vie, narcissisme de mort*, Paris, Minuit, 1980, p. 223-253.

moi, par exemple, à la fois par de la culpabilité vis-à-vis de ma mère morte et par une identification à cette dernière/De ceci pourra à son tour découler une inhibition de mon épanouissement personnel, voire une dépression. »

Une autre conjonction est celle où la mère n'est pas morte du tout. Comme le fantasme de l'avoir tuée est néanmoins présent alors (du fait de l'agressivité inconsciente qui existe toujours de la part d'un enfant vis-à-vis de son parent), ce même cercle vicieux est lancé. Mais ici une étape supplémentaire le complète : « Ma mère que je craignais morte sous les coups de mon agressivité inconsciente ne l'est pas puisque la voici présente et en contact avec moi/Donc 1) puisque j'ai été ainsi détrompé, j'ai pu comprendre que sa mort n'était pas réelle mais fantasmatique/Donc 2) il existe une différence entre vouloir tuer sa mère en fantasme et le fait qu'elle soit morte en réalité/Et donc 3) je ne suis pas réellement responsable de sa mort et n'en mérite pas une punition qui me ferait gâcher mes propres capacités de bonheur/Et donc 4) maintenant identifié à une mère vivante, je ne suis pas obligé de porter sur moi des parties mortes. » Vous me recevez ?

– Cinq sur cinq, mon commandant !

– Merci, lieutenant Philémon. Poursuivons : vous comprenez que, de la sorte, dans ce deuxième cas de figure, le cercle vicieux que je vous signalais à l'instant est devenu un cercle vertueux dans lequel les mouvements de vie l'emportent sur les mouvements de dépression. L'intégration profonde que la mère est bien vivante, et non pas morte, donne à son enfant la certitude inconsciente, « dans un coin de sa tête » comme on dit, qu'il porte en lui une mère solide comme le roc et à laquelle il peut s'identifier. Dans le langage populaire, c'est ce que recouvre assez bien

Dans la caverne, s'immerger dans la mer(e) intérieure

l'expression de la « bonne étoile », que j'ai déjà utilisée, cette idée ancrée en certains d'entre nous qui, quelles que soient les circonstances, avancent dans la vie avec la conviction que les lendemains chanteront.

– Comme s'ils avaient en permanence des lunettes roses devant les yeux !

– Bonne comparaison, en effet, Gladys... Voyez-vous où je veux en venir à propos du *Voyage* lorsque je vous raconte tout ceci ?

– Pas vraiment.

– Eh bien, rappelez-vous : dans ce roman, Axel se consacre et se donne corps et âme à sa mère, tout en essayant de se l'accaparer. De ce fait se produit entre eux l'« anastomose existentielle » déjà mentionnée. Unis fusionnellement dans la *Basic Matrix*, ils annulent ainsi leur séparation antérieure. De ce fait aussi, ils se revitalisent l'un l'autre : Axel prend en lui la « mère-bonne étoile », autrefois disparue mais maintenant réinstallée à son firmament, et la mère, elle, se voit guérie par les attentions du fils à son égard. C'est pourquoi ma conclusion est la suivante : *le* Voyage *déploie sous nos yeux un processus thérapeutique du deuil.* Ce modèle d'autoguérison « nous fait du bien » car nous l'entendons inconsciemment ainsi : « Lecteurs, vous qui, comme tous les humains, avez vos peines à panser, sachez que l'espoir est permis. Transformez les êtres perdus de votre réalité en fantasmes fusionnels avec eux et vous guérirez de votre douleur. Ce récit vous donne une preuve qu'un tel processus est réalisable. »

– Hourra ! Ça fait tilt ! s'écria Philémon. Le *Voyage* « antidéprime »... et une lueur vient de se faire en moi à propos de ma Volvo ! Je me suis soudain souvenu du moment où je l'ai achetée. C'est incroyable ! Je m'étais rendu chez le concessionnaire et je l'avais acquise alors que c'était un achat réellement irraisonnable au vu des finances de la famille. D'ailleurs Gladys m'en avait voulu à ce moment-là et elle avait été à juste titre jalouse des soins avec lesquels je bichonnais mon auto. Moi-même, pour être honnête, je me demandais souvent quelle mouche m'avait piqué à ce moment-là et pourquoi j'avais fait cet achat sur un coup de tête. Et là, Achille-Édouard, grâce à ton explication, je la tiens, cette mouche ! C'est que cet achat « en état second » était survenu, comme par hasard, après que Pink, cette petite chienne que j'aimais tellement, était morte. Ça me saute aux yeux ! Mon investissement « hypnotique » de la Volvo était comme une réassurance, une tentative d'autoguérison par rapport à ce deuil. Fou ! Pour pouvoir accepter de perdre ma petite chienne, j'ai « fusionné » !

– Intéressant, n'est-ce pas ? Et probablement, effectivement, que ta fusion automobile était à visée antideuil. Puis-je maintenant vous signaler un autre moyen dont se servent au niveau inconscient nos héros dans leurs rapports fantasmatiques avec la mère ?

– Et comment : tu puis… du Fou même !

– Il faut donc que je vous parle du « psychisme groupal ». Rappelez-vous tout d'abord qu'Axel doit quitter la mère et en faire le « deuil originaire ». En même temps, un « Antœdipe tempéré » doit l'unir à elle, c'est-à-dire qu'ils doivent, lui et elle, se sentir être une « chair commune », ne faire qu'un. Dès lors, comment franchir cette étape de la séparation qui est comme un déchirement intime pour chacun d'entre eux ?

Le moyen de pouvoir le faire c'est… celui du groupe ! En effet, lorsque l'individu rejoint un groupe, il forme avec lui, dans un mouvement que l'on a pu nommer « illusion groupale », une nouvelle unité indivisible. Autrement dit, il retrouve alors une nouvelle « chair commune » qui lui sert de pont, comme en compensation, pour pouvoir quitter la précédente, celle qu'il formait avec sa mère. Dans le *Voyage*, cela est particulièrement explicite. Le thème du roman : un jeune homme doit retrouver sa mère puis la quitter. Son moyen : le groupe des explorateurs. Otto, Hans... et Arne Saknussemm ne seront pas de trop pour l'y aider. Grâce à eux, il va pouvoir mettre le feu à la mèche et faire exploser la dernière paroi qui le maintenait dans la mère : libération ! Pensez à l'étape suivante du livre, celle qui se situe après l'expulsion du Stromboli : vous y voyez que, maintenant que le groupe a joué son rôle, il va pouvoir être abandonné à son tour. Et il le sera effectivement. Ainsi n'est-il pas étonnant d'apprendre que, une fois qu'il a permis d'affronter les pièges mortels tendus par la Terre-Mère, une fois qu'il a permis la libération définitive, le groupe devient caduc et perd sa fonction. Dès lors, tout naturellement, les individus qui le composent deviennent indépendants les uns des autres et le groupe s'atomise : Hans retourne en Islande ; le professeur se consacre à sa gloire, et Axel à sa femme. Ce dernier quitte ainsi le cocon groupal qui lui a permis de mûrir son émancipation et le laisse derrière lui. Naissance, vie et mort du groupe : le *Voyage* en est une illustration parfaite ; c'est là un autre de ses secrets inconscients !... Je vais m'arrêter là pour ma démonstration. Ces grandes lignes sont suffisantes.

Après que j'eus ainsi parlé, personne ne reprit la parole. Un silence pesant s'installa. Total. Insondable. Nous étions comme dans un tombeau égyptien, au fond de la pyramide oubliée.

Puis Philémon bâilla. En quelques minutes, d'un commun accord, nous défîmes nos sacs de couchage et nous nous allongeâmes. Le sommeil nous prit vite. Il fut lourd pour chacun d'entre nous.

Quelques heures plus tard, je ne sais pourquoi, nous nous réveillâmes tous de conserve. Il n'était que quatre heures du matin mais nous nous sentions dispos et prêts pour la remontée. Nous nous racontâmes tout d'abord nos rêves. Dans le mien, j'avais appris qu'un prix Sneffels avait été créé pour récompenser celui qui percerait les secrets inconscients de la rédaction vernienne : il m'avait été attribué ! Philémon avait rêvé que sa Volvo était devenue éternelle. Gladys avait rêvé que la Volvo de Philémon était partie à la casse et qu'elle avait été remplacée par un modèle récent, climatisé, à boîte automatique et parfaitement insonorisé. Marie, elle, avait accouché de douze petits enfants roses et à figure d'ange.

Mais Gladys me demanda aussi, semblant bien traduire le sentiment général :

– C'est donc bien vrai ? Tu en as fini de tes exposés ? Mais ça va nous manquer, tu sais, de pouvoir aller faire un tour dans l'inconscient de Jules Verne lorsque bon nous chante. Alors, comme ça, tu n'as vraiment plus rien à nous dire ? Tu nous lâches !

– Allez, un bon mouvement, insista à son tour Philémon qui, comédien, se mit à genoux et joignit ses mains comme pour m'implorer.

– Bon, je vais vous raconter encore des choses. Quelques points de détail pour faire une fin, quelques miettes. Nous procéderons ainsi, si vous le voulez bien : il y a trois paliers pour la remontée. À chacun d'entre eux, je vous livrerai un petit commentaire supplémentaire, O.K. ?

– Et comment ! dit Marie, le visage éclairé par ce même sourire qui, des années plus tôt, m'avait conquis immédiatement et pour la vie. (Ah ! ces fossettes !)

Sur la première plate-forme, j'intervins donc :

– Juste quelques mots pour vous montrer à nouveau à quelle intensité est portée la thématique de la perte objectale, celle du deuil de la mère chérie dans le *Voyage*. (Et je sortis le volume de Verne que j'avais emporté dans mon sac à dos.)

– Tu n'as pas l'impression que tu la vois partout, cette « mère morte », dans le roman ? me demanda à ce moment-là Gladys.

– Non, c'est Verne lui-même qui nous guide vers elle. Considère, je te prie, ces indices que nous donne le texte lui-même, saturé qu'il est, justement, de cette « mère morte ». Par exemple, te rappelles-tu du nom de l'hôtel où descendent nos voyageurs à Copenhague ?

– C'est… voyons… l'*Hôtel du Phœnix*, si je ne me trompe.

– Exact. Toi qui es férue de mythologie, dis-nous : un phœnix, c'est… ?

– … un oiseau fabuleux qui se consume et renaît de ses cendres.

– Encore exact. Donc, un animal qui évolue entre vie et mort ! Autre indice vernien : le bateau qui les emporte vers l'Islande est…

– *La Walkyrie*.

– Et une Walkyrie, c'est…

– … une messagère d'Odin qui va porter sur les champs de bataille l'annonce que ce dernier fait aux guerriers qui vont mourir. Puis elles reviennent vers le Walhalla pour y annoncer l'arrivée des nouveaux hôtes.

– Tout juste ! Donc ces Walkyries sont des êtres qui naviguent entre vie et mort elles aussi ! C'est cela, le génie vernien, d'avoir su parsemer son texte de tels indices ; ils sont discrets mais ô combien importants ! Et ce n'est pas tout. Pensons encore à cette lumière qui est celle qui nimbe la mer Lidenbrock. Elle est :

> spéciale... [d'une] blancheur claire et sèche... [et d'un] effet triste souverainement mélancolique (p. 194-195).

Étrange, n'est-ce pas ? cette lumière autogénérée par l'intérieur de la Terre, à la fois autonome, ne nécessitant pas le soleil pour être produite, mais cependant froide et dévitalisée. Tenez ! Un parallèle avec la vie exsangue des vampires, eux qu'on appelle parfois les « non-morts », s'impose. C'est d'ailleurs d'autant plus frappant qu'à un moment cette même lumière se trouvera diffusée de façon uniforme en toutes directions, ce qui aura pour effet de retirer toute ombre aux objets (p. 259)... tout comme les vampires eux-mêmes n'en ont point, d'ombre ! Et cela alors que les aventuriers s'enfonceront en une forêt de plantes et de fleurs à la fois foisonnante, exubérante mais...

> [sans] verdeur... couleurs et sans parfum (p. 260).

Ce sont là des arbres sans sève, sans sang ! Ils sont entre vie prolifique et état mortel « décoloré » (p. 260)... Continuons notre remontée.

Nous bûmes un café et nous croquâmes quelques gâteaux secs. Puis nous effectuâmes la deuxième partie de notre parcours, la plus difficile car la plus longue. Monter sur une échelle souple à plusieurs et encordés nécessite, en effet, une attention soutenue et une parcimonie de mouvements. Sinon, il peut en résulter un mouvement des plus désagréables où les oscillations engendrées par l'un accroissent d'autant celles de celui qui le suit.

Nous ne fûmes donc pas malheureux de nous arrêter une deuxième fois. Je repris :

– Notre pause doit être brève, ma remarque le sera aussi. On a souvent reproché à Jules Verne de négliger les femmes, de ne pas en faire les héroïnes de ses *Voyages extraordinaires*. Tenez :

> (Graüben :) « ... je vous accompagnerais volontiers, si une pauvre fille ne devait être un embarras pour vous » (p. 49).

Le *Voyage* exclut-il donc la femme ?

– Et comment ! s'exclama Marie, une lueur de révolte à l'œil. C'est une aventure d'hommes ! La femme y reste à la maison, comme Graüben, comme Marthe : la femme à la cuisine ; Verne le *macho* !

– D'une certaine façon, tu as raison, Marie. Mais, à un autre niveau, je soutiendrai pourtant l'inverse. La femme n'est en effet pas absente du *Voyage : elle y est même partout, le problème c'est qu'on ne la voit pas.* Si un homme veut voir la femme, il doit en effet se situer en dehors d'elle pour pouvoir le faire. Mais s'il s'en est retourné dans la matrice de sa mère et que donc cette dernière l'entoure de toutes parts, il n'en voit plus rien, confondu et sans distance qu'il se trouve alors être avec elle. Ainsi la femme est-elle ici absente en apparence, comme on le souligne régulièrement à propos des aventures verniennes, mais elle est en même temps omniprésente : *chez Verne, c'est le milieu ambiant, celui de la nature, de la mer, de la Terre qui représente la mère, la femme.*

Notre troisième palier eut lieu à quelques mètres à peine de la sortie du gouffre.

– On dit que Verne écrivait sans psychologie : qu'en penses-tu ? demanda Philémon.

– Je me répète : c'est là aussi une idée qu'il faut battre en brèche. Si l'on en reste à un niveau superficiel, effectivement, c'est exact : ses personnages sont schématiques et ils agissent plus qu'ils n'ont d'états d'âme. Songeons que Verne écrit en même temps que Flaubert : la comparaison est parlante ! Le premier décrit des ombres chinoises tandis que le second montre toute l'épaisseur des contradictions intimes de ses personnages. Chez Verne, ces derniers sont des stéréotypes et ils suivent des destins « standards » : Axel est l'archétype du jeune homme qui va devoir passer par une aventure initiatique ; le professeur est l'image même du savant distrait et passionné ; Hans a un seul trait de caractère, celui du calme flegmatique, etc.

Mais tout cela ne suffit pas à établir que le roman de Verne n'a pas qualité psychologique. Simplement cette dernière est ailleurs que dans les seuls états d'âme des personnages : tous ces derniers incarnent en fait eux-mêmes des composantes psychiques : le professeur, en « bondissant », montre la libido et la curiosité ; Hans illustre la possibilité de s'autotempérer ; le poignard d'A.S. est le phallus préservé du père ; le volcan menaçant est l'oralité dévorante de la mère, etc., etc. *Le véritable héros du* Voyage au centre de la Terre, *vu sous cet angle, on pourrait même dire que sous prétexte des personnages qui l'habillent, c'est le psychisme lui-même !*

Il fallait bien sortir. Nous nous retrouvâmes ainsi à l'air libre sous le grand soleil de l'été. Un lièvre détala devant nous, surpris par notre apparition. Clic-Clac, Kodak! Nous immortalisâmes l'instant par une petite photo que le guide prit de nous au moment où nos têtes sortaient de l'orifice de la galerie. Puis, durant le reste de cette journée, nous lézardâmes dans ce pays où il semble toujours faire beau comme dans une chanson de Charles Trenet, et ce au point où même la pluie, dit-on, n'y existe pas en tant que telle mais n'y est, lorsqu'elle tombe, qu'un intermède entre deux journées claires qu'elle sépare parfois par surprise, comme si elle venait laver le pont d'un bateau naviguant sur une mer chaude d'une ondée fugace et déjà prête à s'évaporer lorsqu'elle l'atteint.

Résumé du chapitre

En parallèle de la trame œdipienne du *Voyage* existe aussi un courant incestuel. Ainsi un mouvement se dessine où Axel a pour but de fusionner avec sa mère en un rapport sexuel où il s'engendrerait lui-même. La fusion a ici une visée thérapeutique antidépressive, celle de réparer la séparation de la mère et de l'enfant et de rasséréner tant l'un que l'autre. Par le franchissement de ces étapes fantasmatiques, figurées par les péripéties successives du roman, Axel peut ainsi se réunir avec sa mère, puis s'en séparer. Un appui psychologique groupal l'y aide également.

Remerciements et hommages

On peut à juste titre me reprocher d'avoir abusé du lampadaire…

… Un homme, une nuit, perd ses clés. Il veut bien les chercher mais seulement là où le lampadaire de la rue projette sa lumière. Le chercheur qui ne regarde que par sa lorgnette ne fait pas autrement.

Ainsi, psychanalyste, je ne suis descendu au centre du roman vernien que guidé par mes seuls outils usuels de compréhension. Et déjà, si l'on voulait s'en tenir à la seule psychanalyse, on pourrait me prendre en défaut. Là où je n'ai déroulé qu'un seul roman, entendu comme un récit associatif, on aurait pu, par exemple, en lire plusieurs pour en tirer des éléments de recoupement permettant d'extraire des renseignements sur la personnalité de Verne (cf. p 42). Ou bien encore, toujours dans une optique psychanalytique, on aurait pu poursuivre la piste élégamment ouverte par Weissenberg dans son *Jules Verne, un univers fabuleux* (Favre, 2004) : il y propose en effet de comprendre le *Voyage* comme une métaphore du processus créatif et de l'« éruption littéraire » survenue à un tournant de la vie de Verne. Sans parler de tout ce que le *Voyage* nous offre comme perspectives pour comprendre les relations d'un individu à son propre corps, en particulier au travers de tout ce que ce roman comporte de notations sensorielles.

On le voit, il reste beaucoup à « creuser » pour connaître « bien à fond » le *Voyage* et Verne lui-même.

On pourra également me reprocher de ne pas avoir parsemé mon texte d'un grand nombre de références bibliographiques. C'est que je souhaitais écrire un texte sérieux certes, mais aussi et surtout divertissant pour moi-même ainsi que, je l'espère, pour le lecteur, et non une manière de thèse.

J'ai donc négligé de très nombreuses pistes. De celles-ci partiraient certainement bien d'autres fils à dérouler.

Celui des noms propres par exemple, tels que Jules Verne les utilise… Axel est-il d'une certaine manière l'« Axe » ? Lidenbrock a-t-il un nom qui se rapproche de ce qui, en allemand, pourrait schématiquement signifier « paupières rompues » (« *Liden/Gebrochen* ») ? Et le nom même de Saknussemm est-il à comprendre comme celui du géniteur suprême (« Sa queue nue sème ») ? Ne rions pas trop vite de ces jeux de mots : on sait en effet que Verne n'était pas homme à reculer devant un calembour, en particulier s'il était bien graveleux… Toute une réflexion est à faire dans ce domaine et cette investigation a d'ailleurs déjà été poussée fort avant (cf. Marc Soriano, *infra*).

La géographie, l'histoire, la science et autres thèmes récurrents dans l'œuvre vernienne ne seraient pas à négliger non plus pour nourrir la réflexion analytique. Parmi une foule d'autres ouvrages disponibles les abordant, citons ceux des vernologues érudits suivants :

– William Butcher, dont la traduction anglaise argumentée (notes explicatives, introduction) du *Voyage au centre de la Terre* fait désormais référence (elle est publiée chez Oxford World's Classics). On consultera avec intérêt son site internet (www.verne.tk), sur lequel nombre de ses textes sont disponibles et tout spécialement son *Verne's Journey to the Centre of the Self: Space and Time in the « Voyages extraordinaires »* dans lequel de nombreux commentaires portent sur le *Voyage au centre de la Terre*.

– Lionel Dupuy : ses analyses littéraires des romans de Jules Verne sont nourries de ses connaissances historiques et géographiques. Mentionnons en particulier son tout récent *En lisant Jules Verne. Un autre regard sur les voyages extraordinaires* (Dole, La Clef d'Argent).

– Michel Fabre est l'auteur (désormais nantais !) de l'ouvrage *Le Problème et l'Épreuve. Formation et modernité chez Jules Verne* (L'Harmattan, 2003). Il extrait de l'œuvre vernienne les liens qui unissent les thèmes du voyage, de la formation et de la modernité. Il démontre comment Verne a su créer une véritable mythologie moderne et comment il a pu décrire des microcosmes fantasmatiques, en particulier autour des thèmes des volcans et des coquilles.

– Qui dit voyage initiatique et Verne, dit enfin inévitablement Vierne (Simone). Ses livres sur le roman initiatique vu par Verne font en effet autorité (en particulier *Jules Verne et le roman initiatique*, Éditions du Sirac, 1973, et *Mythe et modernité*, PUF, 1989).

Je remercie très vivement ces auteurs pour l'aide qu'ils m'ont apportée durant ma réflexion et pour les contacts chaleureux et sympathiques que j'ai pu avoir avec eux.

Il en va de même pour Mme Agnès Marcetteau qui, conservateur général des bibliothèques, directrice de la bibliothèque municipale, est aussi est la conservatrice du Musée Jules Verne à Nantes.

Pour revenir du côté de la psychanalyse, voici quelques livres qui ont été consacrés à Jules Verne :

– Marcel Moré a publié chez Gallimard en 1960 *Le Très Curieux Jules Verne*, ouvrage qui développait notamment, et de façon très contestable, que l'œuvre de Verne était bâtie sur un fond de pédérastie.

– Marc Soriano a publié chez Julliard en 1978 son volumineux *Jules Verne (Le cas Verne)* dont le titre et surtout le sous-titre annonçaient l'exégèse de l'œuvre vernienne qu'il y produisait, en s'aidant, entre autres, de la psychanalyse pour étudier le vocabulaire vernien et tout particulièrement ses calembours (regroupés en un index spécifique !).

– *Voir du feu, contribution à l'étude du regard chez Jules Verne* est un stimulant recueil d'articles. Publié en 1994 dans *La Revue des lettres modernes*, ce volume étudie notamment, dans une optique assez lacanienne, les thèmes du regard et du discours chez Verne. Avrane, Chelebourg, Nassif et Raymond en sont les auteurs.

– En 1988, Patrick Avrane avait déjà publié chez Aubier *Un divan pour Phileas Fogg*. Il y montrait comment *Le Tour du monde en 80 jours* pouvait être entendu comme une métaphore prémonitoire du processus psychanalytique lui-même (Phileas Fogg en tant qu'analysant obsessionnel, Passepartout comme Moi, Fix comme Surmoi, et Aouda comme objet du désir découvert, etc.).

Enfin, étonnamment, il n'y a pas, du moins à ma connaissance, de livre en langue anglaise portant sur Verne et la psychanalyse (alors que les traductions de Verne restent pourtant largement lues de par le monde entier de nos jours).

On trouve ici ou là quelques articles où Verne est étudié du point de vue psychanalytique (en particulier sur le site internet de la Société psychanalytique de Paris – y voir l'index de la Bibliothèque Sigmund Freud).

Également, des annotations diverses dans différents ouvrages ou articles consacrés à Verne peuvent nourrir la curiosité analytique; on en trouvera mentionnés dans les tables du *Bulletin de la Société Jules Verne*.

Table

Du même auteur

Le Comportement boulimique,
Paris, Masson, 1991

Choix de textes post-freudiens,
Paris, Masson, 1997

En collaboration avec Marcel Zins-Ritter

Une mère tue son enfant. La monomanie selon Esquirol,
Paris, Les Empêcheurs de penser en rond, 1997

Illustrations pages 46 et 59 de Noël Joly.
Toutes les gravures sont de Riou pour l'édition Hetzel.

Conception graphique et réalisation : Louise Daniel
Impression Bussière en février 2005
Éditions Albin Michel
22, rue Huyghens, 75014 Paris
www.albin-michel.fr
ISBN : 2-226-15861-8
N° d'édition : 23219. – N° d'impression : 050608/4.
Dépôt légal : mars 2005.
Imprimé en France.